Editora Charme

ABBI GLINES

AUTORA BESTSELLER DO NEW YORK TIMES

LEIF

EXISTENCE #2.5

Este livro é um trabalho de ficção.
Todos os nomes, personagens, locais e incidentes são produtos da imaginação da autora. Qualquer semelhança com pessoas reais, coisas, vivas ou mortas, locais ou eventos é mera coincidência.

1ª Impressão 2022

Produção Editorial - Editora Charme
Foto - AdobeStock
Capa e Produção Gráfica - Verônica Góes
Tradução - Monique D'Orazio
Revisão - Equipe Charme

Esta obra foi negociada por Agência Literária Riff Ltda em nome de Dystel, Goderich & Bourret LLC.

FICHA CATALOGRÁFICA ELABORADA POR
Bibliotecária: Priscila Gomes Cruz CRB-8/8207

G561L Glines, Abbi

Leif / Abbi Glines;
Tradução: Monique D'Orazio;
Capa e produção gráfica: Verônica Góes; Revisão: Equipe Charme
– Campinas, SP:
Editora Charme, 2022. (Série: Existence; 2.5).
80 p. il.

ISBN: 978-65-5933-052-2
Título original: Leif.

1. Ficção norte-americana. 2. Romance Estrangeiro.
I. Glines, Abbi. II. D'Orazio, Monique. III. Góes, Veronica.
IV. Editora Charme. V. Título.

CDD - 813

Editora Charme

www.editoracharme.com.br

Editora Charme

ABBI GLINES

AUTORA BESTSELLER DO NEW YORK TIMES

LEIF

EXISTENCE #2.5

TRADUÇÃO MONIQUE D'ORAZIO

Dedicatória

Para vocês que amavam Leif e queriam que ele conquistasse o coração da Pagan. Aqui está o lado dele da história.

1. A MORTE A ESTAVA PERSEGUINDO

Leif

Já estava na hora. Eu a havia deixado crescer normalmente. Eu havia recuado e a protegido. Eu a havia guiado em silêncio. Agora, era hora de torná-la minha. A alma feita pelo Criador para ser sua companheira havia partido, se mudado para outra cidade. Meu caminho estava livre. Enfim. Eu vinha esperando por ela a vida toda.

Ignorei o olhar ciumento de Kendra. Ela estava me irritando recentemente. Antes, tinha sido uma boa distração; meu pai a havia mandado para mim como uma forma de entretenimento. Houve momentos em que ela havia sido útil, mas esses dias não existiam mais. Kendra sabia que sua diversão havia chegado ao fim. Eu precisava falar com meu pai sobre removê-la se ela fosse causar problemas. Não queria nada no meu caminho agora.

Sentei-me na cadeira vazia ao lado de Pagan. A desculpa para estar perto dela havia sido ensaiada na minha cabeça por mais de ano, quando comecei a planejar uma maneira de facilitar sua vida. Ela não gostava muito de mim. Antes, isso me divertia, mas agora me preocupava. Eu precisava que ela gostasse de mim. Ela era meu mundo. Sempre tinha sido.

— Ei, Pagan, o sr. Yorkley disse que eu precisava falar com você. — Pagan me olhou com os olhos arregalados. O choque em sua expressão era adorável. Eu estava esperando para finalmente falar com ela, sabendo que, desta vez, ela se lembraria de mim.

O choque foi logo substituído por uma cara fechada aborrecida.

Não o que eu esperava, mas, pelo que eu podia perceber, ela, de fato, não gostava de mim. Com nervosismo, esfreguei as mãos nos joelhos da minha calça jeans, me perguntando se deveria ter escolhido outro caminho para me aproximar dela. Não, questionar meu plano agora era uma má ideia. Eu precisava fazer dar certo.

— Uh, hum, bem — comecei —, quer dizer, isto é, preciso de ajuda na aula de Retórica. Não é minha praia e o sr. Yorkley disse que você era a pessoa certa para me ajudar.

— Estamos no primeiro dia de aula. Como você já pode precisar de ajuda? — ela perguntou. Obriguei-me a olhar para ela, embora o desdém em seus olhos fosse doloroso de ver. Ela não estava acreditando na minha desculpa. Isso não era algo que eu tinha planejado.

— Hum, sim, eu sei, mas eu... bem, a gente está falando do sr. Yorkley e sei que vou ter dificuldade — expliquei. Eu deveria contar a ela sobre minha "dislexia" agora ou mais tarde? Leif Montgomery, *quarterback*, não seria tão aberto. Ele gostaria de manter sua imagem de pessoa descolada. Eu tinha que me lembrar de interpretar o papel. Se era para isso funcionar, eu não poderia deixá-la me ver tão claramente assim tão cedo.

— Por que acham que você vai ter dificuldade? Com certeza, você não tem medo de falar em público na aula.

Eu queria lhe contar tudo. Não conseguia ficar olhando para ela e responder corretamente. Desviei o olhar para a frente antes de falar.

— Não, não é isso. — Foi a única resposta que consegui. Muito bom...

— De verdade, não sei por que você precisa da minha ajuda. É muito simples. Você escreve o texto sobre os tópicos que recebeu e depois fala pra turma. Simples, básico, sem sequências extravagantes ou equações difíceis.

Sua antipatia por mim era muito óbvia em seu tom. O que eu tinha feito para ela me odiar tanto? Pensei que era um cara legal. Todo mundo gostava de mim. Por que não ela?

— Pra mim, não é tão fácil — comecei a falar mais e parei. Não estava indo como eu esperava. Eu precisava pensar. — Deixa pra lá, esqueça que perguntei. — Sem outro olhar para ela, me levantei e fui embora. Eu tinha estragado tudo completamente. Por mais de dez anos, vinha esperando pelo momento em que falaria com ela, sabendo que ela se lembraria disso no dia seguinte.

— Eu não entendo por que você a quer tanto. Ela é uma vadia. — Kendra me alcançou enquanto eu andava pelo corredor, o mais longe que pude do meu desastre no refeitório.

— Cala a boca, Kendra. Não estou a fim — rosnei, começando a andar apressado.

— Todo irritadinho. Não é atraente, meu príncipe — ela respondeu com um tom divertido.

— Você está brincando com fogo — ameacei quando cheguei ao meu armário.

— Ela está tensa, Leif. Romper seu muro de gelo será impossível.

Abri meu armário com um solavanco e peguei minha bolsa de ginástica.

— Me deixe em paz — minhas palavras escaparam, enquanto a presença misteriosa da Morte rastejava pelos corredores. Kendra também sentiu. Ela enrijeceu e deu um passo para perto de mim. De quem ele estava atrás? Nenhuma alma havia deixado o corpo.

— Você o sente? — Kendra sussurrou. O espanto em sua voz era óbvio.

— Sinto — confirmei, procurando nos corredores por um sinal dele, mas não vi nada. Lentamente, a sensação foi embora e eu respirei fundo. Ele se foi.

— Aquele era o Dankmar, não era? — Kendra perguntou, olhando para mim.

Acenando com a cabeça, bati a porta do meu armário.

— Por que ele estava aqui?

— Eu não tenho ideia, Kendra. Ele é a morte. Pode ir aonde quiser. Fique longe de mim, tá?

Contornei-a e fui para o vestiário. Talvez eu pudesse conseguir um pouco de paz e sossego lá.

A Morte a estava perseguindo. Raiva, medo e impotência lutaram dentro de mim. Eu deveria perguntar ao meu pai o que fazer? Ele saberia a resposta? Já a havíamos salvado da Morte uma vez. Por que ele tinha voltado? Quantas vezes a Morte viria por ela? Pagan tinha apenas dezessete anos. Eu precisava encontrar uma maneira de pôr um fim nisso.

Eu não conseguia chegar perto o suficiente da sua casa sem alertar a Morte que eu estava na redondeza. Ele me sentiria e viria me encontrar. Embora a Morte não tivesse poder sobre mim, a ideia de cruzar com ele não me agradava. Ele sabia que era eu quem a tinha mantido viva todos esses anos, quando ele tinha vindo para levar sua alma? Ele tinha descoberto? Estava vindo para corrigir um erro?

— Guedê! — gritei na escuridão, sabendo que meu pai viria ao som da minha voz. Eu não recorria a ele com frequência para obter ajuda. Preferia manter distância da sua vida em Vilokan. A vida após a morte vodu seria minha morada final, uma vez que Pagan fosse minha, mas, agora, eu queria estar perto dela. O Vilokan parecia muito sombrio e solitário sem ela comigo.

— O que eu preciso consertar agora, hein? — meu pai perguntou ao sair da escuridão. As duas pequenas pontas laranja dos seus cigarros eram a única luz à nossa volta.

— Dankmar está perseguindo Pagan. De novo — expliquei, me forçando a não começar a andar. Meu pai odiava quando eu andava de um lado para o outro.

— É isso mesmo? O que foi feito para mandar a Morte atrás dela de novo? — Meu pai tirou os cigarros da boca com dois dos seus dedos longos e finos e soprou anéis de fumaça no ar antes de olhar para mim. — Isso só quer dizer que você tem que levá-la agora, hein? Isso é tudo.

— Eu não posso levá-la ainda. Ela me odeia. Não sei por que, mas ela sabe. Preciso fazer com que ela me ame antes de levá-la para Vilokan. Se ela não me amar, nunca aceitará seu destino.

Meu pai balançou a cabeça e acenou com a mão que segurava os cigarros em direção à casa de Pagan.

— Você quer que a Morte a leve? Basta pegar à menina e terminar com isso. A diversão é sexo, não o amor.

Eu queria rugir de frustração. Não eram as palavras úteis que eu esperava. Mas, por outro lado, meu pai acreditava que sexo, festas e rum eram as coisas mais importantes da vida.

— Preciso do amor dela. Eu trabalhei muito para ganhar a confiança dela ao longo dos anos. Eu a protegi. Atendi a suas necessidades. Eu a *treinei*. Eu preciso do amor dela. Você não consegue entender isso?

Meu pai suspirou, colocou os cigarros de volta na boca e balançou a cabeça.

— O que você fala não faz sentido, filho. Eu farei o que puder, mas se é de amor que você precisa, então pegue. Logo.

— Estou tentando. Eu me aproximei dela hoje. Vou fazer o meu melhor. Só preciso de mais tempo. — Amanhã eu precisava de um novo plano. Tinha que fazê-la ver que havia mais em mim do que um jogador de futebol americano popular. Estupidamente, pensei que me fazer querido entre seus pares ganharia seu coração. Eu deveria ter mais clareza nesse pensamento. Pagan não era superficial.

Meu pai se foi, deixando-me sozinho na escuridão mais uma vez. Ele não tinha ajudado. Precisar do amor dela não era algo que ele entenderia. O relacionamento dos meus pais não tinha absolutamente nada a ver com amor. Por que eu era tão diferente deles?

Erguendo os olhos de volta para a direção da casa de Pagan, esperei que ele saísse. Eu não deixaria a Morte partir com a alma dela. Tinha que fazer algo para protegê-la sem alertá-lo, mas o quê?

Ela estava esperando por mim do lado de fora da porta da única aula que tínhamos, Química. Eu podia sentir sua ansiedade enquanto ela estava lá. Isso era um bom sinal. Pelo menos ela estava vindo até mim, porque eu ainda não tinha certeza de como abordá-la novamente.

Saindo para o corredor, minha alegria por tê-la esperando para falar comigo foi diminuída pelo fato de a Morte estar em algum lugar próximo. Eu não conseguia vê-lo, mas podia sentir sua presença gelada.

— Hum, Leif, posso falar com você um minuto? — ela perguntou. Por mais que eu quisesse facilitar para ela, sabia que não poderia. A Morte sabia que eu não era humano. Não queria alertá-lo sobre minhas verdadeiras intenções. Encostei-me na parede e cruzei os braços. Ela mordiscou o lábio inferior com nervosismo. A Morte se aproximou de nós e eu lutei contra o estremecimento que rastejou sobre mim com sua proximidade.

— Sobre ontem, sinto muito pela grosseria quando você me pediu ajuda. Eu me inscrevi como tutora para créditos extras e não deveria ter te tratado daquela maneira. — Ela fez uma pausa e olhou para mim com uma expressão ansiosa. Eu queria acalmar a mente dela, mas não consegui. Não aqui. Não com *ele* assistindo e ouvindo. — Se você ainda quiser que eu seja sua tutora, eu ficaria feliz — ela concluiu, e eu não tinha certeza de qual era a resposta correta para isso.

Eu faria o que ela permitisse, apenas para estar perto dela, mas Dankmar estava rondando. Mantive minha expressão entediada e fingi estar pensando em sua oferta. Quando parecia que ela ia fugir, respondi:

— Você está oferecendo por causa do sr. Yorkley? Ele obrigou você?

O franzido das suas sobrancelhas era muito fofo. Um dia, em breve, eu seria capaz de estender a mão e alisá-lo com a ponta dos dedos... ou lábios.

— Eu agi da maneira que agi só porque não gosto muito de você. Estava errada e, sinceramente, nem te conheço bem o suficiente para formar uma opinião a seu respeito. Estou me oferecendo para ajudar porque você precisa. Foi para isso que me inscrevi e é por isso que estou aqui agora.

Ela admitiu que não gostava de mim. Mesmo que isso devesse me preocupar, não me preocupou. A simples admissão me fez sorrir.

— Então você não gosta de mim?

Ela se endireitou, tentando ficar mais alta, e sacudiu a cabeça de leve. Eu não pude deixar de rir.

— Bem, talvez tenhamos que trabalhar para fazer você mudar de ideia. Vejo você mais tarde — respondi, depois me virei e fui embora. Deixá-la sozinha com Dankmar tão perto me incomodava, mas ele não precisava saber que eu o sentia, assim como não precisava saber que eu pretendia levar a alma de Pagan antes que ele tivesse oportunidade. Afinal, a alma dela era minha.

2. A MORTE ESTAVA FALANDO COM ELA

Leif

— Isso é bom, filho. A menina está bem ao seu alcance. Não se preocupe com a Morte. A alma da menina não significa nada para ele. — Meu pai parou na minha frente quando comecei a subir a calçada de Pagan. Sua cartola estava inclinada para trás, o que significava que ele tinha bebido muito e estava de muito bom humor.

— Obrigado, mas já estou atrasado. Não quero pegar o lado ruim dela esta noite. Ela ainda não é minha fã. — Mas ela seria. Eu faria de tudo para que assim fosse.

— Só vá lá e pegue a menina. Você não tem tempo para mais nada. Dankmar está logo atrás dela.

Com um último anel de fumaça saindo dos lábios, ele desapareceu. Ele estava certo, é claro. Eu tinha de achar um jeito de chegar ao coração da Pagan — e rápido.

Pagan abriu a porta quase imediatamente. Sua expressão não era promissora. Porcaria. Eu a tinha irritado de novo. Lançando meu sorriso mais sincero para ela, comecei a me desculpar.

— Desculpa mesmo por isso. Eu me sinto mal por você ter que se adaptar à minha programação. Sei que sete da noite é tarde e, bem, me desculpe por isso.

Sua raiva sumiu e o sorriso fácil que eu esperava ver apareceu em seu rosto. Ela era linda.

— Não tem problema. Vá em frente e sente-se à mesa e eu vou pegar algo para a gente beber. Você gosta de cerveja-de-raiz?[1] — ela

1 "Cerveja-de-raiz" é uma bebida doce típica da América do Norte, geralmente não alcoólica, sem cafeína e gaseificada, feita com a raiz da planta sassafrás. (N. T.)

perguntou, se virando e se afastando de mim. Eu a segui para dentro. Acho que eu nunca tinha bebido refrigerante, mas essa admissão soaria estranha.

— Seria ótimo, obrigado.

Sua sala de estar não era nova para mim. Eu já estivera ali muitas vezes antes. Cuidando dela. Consolando-a. Agora ela estava me ajudando. Desta vez, ela se lembraria da minha presença aqui. Só de saber que o que tínhamos finalmente seria real para ela era emocionante.

Quando ela voltou, decidi aliviar a tensão e o nervosismo que nos cercava. Isso era para ser fácil.

— Trouxe a programação das aulas e tudo o que se espera nesse curso. Tenho uma semana até a primeira apresentação e precisa ser sobre algum tema em que eu acredite fortemente.

Ela colocou o refrigerante na minha frente.

— Então, precisamos decidir pelo que você é apaixonado.

Eu não conseguia tirar o sorriso do meu rosto. Apaixonado. Essa era uma palavra carregada. Uma sobre a qual eu sabia muito.

— O quê? — ela perguntou, franzindo a testa.

— Algo pelo qual eu seja apaixonado? — perguntei, ainda sorrindo.

Ela revirou os olhos.

— Você sabe, algo de que você goste muito porque acredita fortemente. Tipo seu propósito ou plataforma.

Havia apenas uma coisa pela qual eu me sentia apaixonado, mas não era hora de admitir isso ainda.

— "Apaixonado", gostei dessa ideia. Vamos pensar em algo que me apaixone.

O olhar afetado em seu rosto quando ela franziu os lábios e agarrou o caderno era muito fofo.

— Tem alguma ideia? — ela indagou em um tom que dizia que já sabia que eu ia dizer algo superficial e ela estava preparada para escrever.

Decidi que ia bagunçar com suas pequenas ideias presunçosas.

— A importância da adoção.

Ela começou a escrever e parou. Fiz tudo o que pude para não rir alto.

Eu tinha acabado de surpreendê-la pra caramba.

— Tudo bem — respondeu ela, me estudando de perto. Ela queria uma explicação. Que bom que eu tinha uma.

— Fui adotado depois de morar em lares adotivos por cinco anos Quando fiz nove anos, eu já tinha perdido a esperança de ter uma família porque a maioria das pessoas quer bebês. Eu tive uma chance com a qua a maioria das crianças órfãs de nove anos apenas sonha.

Seus olhos se arregalaram em choque.

— Nossa, eu não fazia ideia. Eu, hum, consigo entender por que esse seria um tema importante para você.

Sua expressão mudou de surpresa para confusão e então para o que parecia ser tristeza. Eu não queria deixá-la triste. Só queria me redimir de alguma forma. Ela já pensava tão pouco de mim.

— Você ouviu a parte em que eu fui adotado, certo? — pergunte suavemente com um sorriso fácil, na esperança de animá-la. — Você parece tão perturbada que achei que talvez não tenha ouvido a parte do final feliz.

— Desculpa. É que, bem, eu não esperava por isso. Você meio que me surpreendeu.

Recostei-me na cadeira.

— Parece que você já tinha muitas ideias no que diz respeito a mim. Com certeza você já pensou muito sobre alguém de quem não gosta tanto assim.

O rubor instantâneo em suas bochechas me dizia que eu tinha feito alguns progressos. Se eu pudesse mostrar a ela que não era o cara que ela pensava que eu era, então teria esperança de que ela retribuísse meu amor algum dia. De preferência, em breve.

— Quem sabe, Pagan, você pode acabar gostando de mim antes que isso acabe.

Ela estava gostando de mim. Pela maneira como seus olhos me seguiram pelo corredor e me estudaram do outro lado do refeitório, eu sabia que seus sentimentos em relação a mim estavam mudando. Nossas noites estudando agora eram tranquilas. Nós conversávamos e ríamos sem o constrangimento que eu havia enfrentado no início. Ela não ficava nais nervosa perto de mim. Meu único problema era o fato de que a Morte ainda estava atrás dela.

Eu podia sentir o olhar dela em mim enquanto ela caminhava pelo corredor. Ela queria que eu me virasse e a olhasse. A atração era como uma sensação de formigamento percorrendo meu corpo, mas eu não conseguia.

A Morte estava perto dela. Ele era a barreira de frio que me impedia de dizer qualquer coisa para ela ou mesmo encontrar seu olhar. Ele me veria e me estudaria muito de perto. Eu não queria que ele percebesse que o ser sem alma que ele obviamente estava dispensando era mais do que ele presumia. Eu não era um dos muitos servos do Inferno. Eu era o Príncipe Vodu. Dankmar não precisava perceber isso tão cedo. Ou ia bagunçar tudo.

Ele falou… e Pagan o ouviu. O quê? Ela também conseguia enxergar a Morte? Eu sabia que minha reivindicação sobre sua alma permitia que ela enxergasse almas perdidas, mas também poderia fazê-la ver a Morte? Ouvir os caras ao meu redor falando sobre o jogo de sexta à noite era impossível. Eu precisava ouvir o que ele estava dizendo. Por que Dankmar estava falando com uma alma? O que ele poderia ter a dizer a ela? Ele estava aqui para levá-la, ou pelo menos tentar. Isso não era normal. Eu precisava falar com meu pai. Ele saberia me dizer o que era.

Me desliguei de todos ao meu redor, exceto Pagan. Não conseguia ver Dankmar; só podia senti-lo. Eu também não conseguia ouvi-lo, mas ela conseguia. Ela estava falando com ele. Como?

— Não está me incomodando — ela sibilou por entre os dentes enquanto abria a porta do armário.

O que isso significava? Droga, eu precisava ouvir o que ele estava dizendo também.

Lentamente, ela virou a cabeça para olhá-lo. Ele devia estar ao seu lado. Eu ainda só conseguia vê-la, mas ela o estava analisando. Por acaso a hora dela estava chegando e ele estava avisando?

Ele normalmente não fazia isso com crianças? Por que ele a avisaria?

— Encará-los só vai piorar as coisas. Guedê desaconselharia fazer uma cena. — O tom gelado de Kendra me lembrou de falar com meu pai novamente sobre se livrar dela. Kendra não estava ajudando nas coisas; estava apegada a mim. Esse nunca tinha sido o plano.

— Isso não é da sua conta, Kendra — eu a lembrei com uma voz dura. Se ela não saísse do meu caminho, eu mesmo a removeria.

— Me pergunto se ele é tão sexy quanto todo mundo diz — ela ronronou.

— Quem disse que Dankmar é sexy? — Um alarme disparou na minha cabeça. A Morte era atraente?

— Todo mundo que o viu. Eu ouvi que ele tem os olhos mais azuis do mundo e cabelo preto espesso que é um pouco longo demais. Seu sorriso é sempre arrogante e seu corpo é feito para...

— Ok, isso é suficiente. Não quero ouvir mais suas besteiras. Ele é a Morte. Não pode ser sexy. — Não fazia sentido. Observei a expressão de Pagan suavizar. O que ele estava dizendo a ela? Ela estava atraída por ele?

— Faz todo sentido, meu príncipe. Para aliviar o medo de uma alma na hora da Morte, não seria mais fácil se aquele que está tirando sua alma fosse agradável aos olhos?

— Para uma garota, talvez — respondi, enquanto Pagan se virava e se afastava do seu armário. A Morte se foi. Soltei um suspiro de alívio.

— Assim como os homens. A beleza também acalmaria os medos deles. Algo sombrio e sinistro seria apavorante — ela continuou explicando. — Já ouvi falar de outras pessoas que o viram e de algumas pessoas que o tocaram ou foram tocadas por ele. Não é como nada que elas já experimentaram. O que eu não daria para tê-lo rastejando entre...

— Basta! — Eu a contive dos seus pensamentos lascivos. Não queria ouvir sobre a sensualidade da Morte. Eu precisava encontrar uma maneira de mantê-lo longe de Pagan.

— Oi — Pagan disse, recuando para me deixar entrar em sua casa.

Desde a manhã de hoje, quando eu a tinha pegado conversando com Dankmar, ela estava me ignorando. Eu estava ansioso para chegar aqui. Precisava consertar o que havia de errado. Estávamos fazendo progresso e então... nada.

— Oi — eu respondi, estudando-a de perto enquanto a seguia até a mesa. O silêncio não foi bom. — Sexo seguro — anunciei, na esperança de conseguir alguma reação dela. Eu queria que Pagan sorrisse facilmente para mim. Essa Pagan quieta e reservada que me ignorava era inquietante.

Ela congelou e ficou boquiaberta, uma mistura de surpresa e horror em seus olhos. Eu gostava mais assim, com alguma animação em seu rosto lindo.

— Queria que você pudesse ver seu rosto agora — eu disse, incapaz de conter o riso.

— Você acabou de falar "sexo seguro"? — ela perguntou, ainda parecendo completamente confusa.

Levantei meu papel.

— O assunto da apresentação desta semana.

Ela soltou uma risada fraca.

— Ok, bem, foi um jeito e tanto de anunciar.

Ela ainda parecia insegura. Eu queria aliviar a tensão na sala, não deixar Pagan nervosa. Então, tentei novamente:

— Espero que você seja bem-informada sobre esse assunto, porque eu não tenho a menor ideia.

— O quê? — ela guinchou em resposta.

Não pude deixar de rir da sua expressão.

— Me desculpe. É que você fica muito fofa quando está chocada.

Ela congelou com minhas palavras e eu imediatamente parei de rir. O que eu disse de errado?

— Acho que não é necessário ter experiência de causa. Basicamente é para falar das suas opiniões sobre o assunto, ou da importância dele. — A tensão em sua voz me assustou. Ela estava envergonhada. Essa não tinha sido minha intenção.

Estendi a mão e deslizei o dedo sob seu queixo, levantando seu rosto, de modo que ela tivesse de olhar para mim.

— Você está envergonhada. Que fofa.

Minhas palavras mais uma vez não tiveram a reação que eu esperava. Sua expressão irritada estava de volta.

— Por favor, pare de dizer que sou fofa. É meio insultante.

Insultante? O quê? Tirei a mão do seu queixo e tentei muito descobrir em que isso era insultuoso. Nada me veio à mente.

— Como seria insultante?

Pagan encolheu os ombros:

— Apenas isso. Ninguém quer ser fofa. Cachorrinhos são fofos. — Ela não fez contato visual comigo. Em vez disso, começou a ler minhas anotações.

— Bem, você definitivamente não parece um cachorrinho — respondi com uma risada. Sempre pensei que era bom com mulheres. Pagan estava provando que eu havia pensado errado.

— Pelo menos já é alguma coisa — ela respondeu em um tom cortante. — Ok, então quais são os três principais motivos pelos quais você acredita que sexo seguro é importante? — Ela estava tentando mudar de assunto. Eu não queria mudar de assunto. — Você não tem certeza? — ela insistiu.

Eu não disse nada. Precisava descobrir como consertar meu último problema.

— Hum, ok, e gravidez na adolescência? Esse é um bom ponto. Ninguém precisa ser pai ou mãe enquanto ainda é criança. — Ela continuou como se eu tivesse respondido.

Ela começou a escrever no meu bloco de notas, determinada a encerrar a conversa.

— Você está ofendida — eu disse, quando me dei conta. — Eu não queria dizer algo para ofender você — assegurei-lhe.

Ela ainda não olhava para mim.

— Está bem. Vamos trabalhar na sua redação.

Olhando para o papel, respondi:

— A gravidez na adolescência é definitivamente um dos motivos.

— Ok, então e quanto às DSTs? — ela sugeriu, escrevendo antes que eu pudesse responder.

Isso não estava nos levando a lugar nenhum. Ela ainda estava chateada.

— Esse é outro argumento bom — concordei.

Estendi a mão e peguei o caderno dela. Nós íamos resolver isso. Não gostei de saber que magoei os sentimentos dela. Eu a adorei. Se ao menos eu pudesse dizer a ela exatamente quanto...

— Desculpe, mas não consegui pensar em outra maneira de chamar sua atenção. — Seu silêncio me permitiu continuar. — Você não é só fofa. Sim, você faz carinhas fofas e coisas fofas, mas não é só fofa. — Eu tinha falado demais?

— Tudo bem — ela sussurrou. Era o suficiente por agora. Eu não poderia dizer mais ou me entregaria.

Deslizei o caderno de volta para ela.

— Agora, vejamos... e o fato de que usar camisinha tira um pouco do prazer? Devemos discutir isso?

Ela começou a engasgar com seu refrigerante e eu dei um tapinha gentil em suas costas, tentando não rir.

— Mais uma vez: você faz um monte de coisas fofas, mas não é só fofa.

3. A MORTE QUEBROU AS REGRAS

Leif

— Não tenho tempo para isso agora, Kendra. Eu disse ontem à noite que, se continuar assim, mandarei Guedê removê-la. Achei que você gostasse da atenção dos garotos humanos. Quer ficar aqui? Então me deixe em paz. Afaste-se. Eu não preciso de você aqui. Tudo o que tenho a fazer é contar ao meu pai e você estará de volta a Vilokan. Você quer retornar para a influência sexual de Guedê? Humm? Achei mesmo que não.

— Não fiz nada de errado ontem à noite. Achei que você gostaria de saber que a Morte está aqui para levar a alma de Pagan. O tempo dela acabou, outra vez. Você ficou irritado por perder seu encontro de estudo com ela, mas a informação que eu tinha era meio importante.

Ela estava certa, é claro. A alma de Pagan era de extrema importância. Se a Morte estava aqui para pegá-la, eu precisava me preparar.

— Agora, seja bonzinho, meu príncipe. Eu estava apenas fazendo meu trabalho — ela murmurou, estendendo a mão e passando-a pelo meu cabelo. Kendra realmente não conseguia entender. — Tem certeza de que vir ontem à noite não foi um grande problema? Eu odiaria atrapalhar as coisas com você e sua namorada.

Droga, ela ia atrapalhar as coisas para mim com Pagan se não calasse a boca. A última coisa que Pagan precisava ouvir era que eu a tinha reivindicado como minha namorada. Ela ficaria furiosa.

— Você sabe que ela não é minha namorada, Kendra. Pare de chamá-la assim. Você vai começar a espalhar fofoca. — O sorriso satisfeito que apareceu no rosto de Kendra me confundiu. O que eu tinha dito para fazê-la sorrir? A garota estava louca.

— Você passa muito tempo na casa dela e ela está sempre olhando pra você.

Eu tinha certeza de que as pessoas ao nosso redor podiam ouvi-la.

Eu precisava fazer alguma coisa. Dizer algo para consertar isso. Pagan não precisava ouvir de outra pessoa. Eu não tinha progredido tanto com ela; precisava antes construir sua confiança. Então, olhei para Kendra e disse a única coisa que calaria a fofoca de todos.

— Ela é minha tutora, e não, ela não fica olhando pra mim. Você está apenas sendo paranoica quando não tem razão para nada disso.

A voz de Kendra baixou para um sussurro tão baixo que apenas eu seria capaz de ouvir.

— Opa, meu príncipe. Foi mal. Tem certeza de que ela sabe que não é sua namorada? Porque parece que ela está te perseguindo... — Kendra ronronou, e seu olhar foi direcionado por cima do meu ombro.

Se Pagan estivesse atrás de mim, eu extinguiria Kendra com minhas próprias mãos.

Virando-me, meu horror foi completo quando encontrei os olhos magoados de Pagan observando a cena que ela pensava ter acabado de testemunhar. As manchas vermelhas em suas bochechas me disseram mais do que eu temia. Porra. O que Kendra tinha feito? Eu precisava fazer alguma coisa, mas o quê?

— Hum, é... Pagan. Eu ia te procurar para explicar sobre ontem à noite — comecei. Pagan assentiu com firmeza e estendeu um papel para mim.

— Achei que você pudesse precisar disso.

Estendi a mão para pegá-lo, olhando para ele e tentando descobrir o que ela tinha para mim, mas, assim que o tirei dela, ela se virou para ir embora.

— Espere, eu ia te ligar ontem à noite. Acabei ficando amarrado. Obrigado. — Eu segurei o papel e percebi que ela havia terminado o texto da minha apresentação por mim.

Kendra deslizou o braço pelo meu.

— Isso não é verdade, Leif, eu nunca amarrei você.

Eu ia matá-la. Espírito vodu ou não, ela ia morrer. Agarrando a mão de Kendra, eu a arranquei do meu corpo e a lancei para trás antes de decolar atrás de Pagan.

— Pagan — gritei para ela.

Lentamente, ela se virou e me encarou:

— Sim?

— Olha, sobre ontem à noite, eu realmente sinto muito. Eu não esperava que você terminasse o trabalho para mim. Eu pisei na bola e ia aceitar a nota ruim. Eu deveria ter ligado, mas...

Ela balançou a cabeça.

— Não tem problema. Apesar disso, de agora em diante, será que você poderia me avisar com antecedência quando não puder chegar no horário marcado? Então, se você me dá licença... — O som frio e cortante da sua voz parecia água gelada em minhas veias. Não. Isso não poderia estar acontecendo. Eu tinha chegado tão longe com ela.

— Pagan, espere, por favor — implorei, perseguindo-a.

Ela parou, fez uma pausa e se virou para me encarar com um olhar tão forte que eu sabia que tinha arruinado tudo.

— O quê?

— Eu estava indo, mas a Kendra ligou — comecei.

— Eu não me importo. Da próxima vez, me avise, por favor — ela retrucou, então se virou e foi embora. Queria ir atrás dela e implorar que não fosse, mas o que eu poderia dizer para melhorar isso?

Eu a segui silenciosamente. Precisava ter certeza de que ela ficaria bem. Havia lágrimas não derramadas em seus olhos. Pensar nela sofrendo acabava comigo. A ideia de que ela ia chorar me deu vontade de rugir de frustração.

Ela não foi para a sala de aula. Em vez disso, ela se dirigiu ao estacionamento. Parei quando vi uma figura escura aparecer ao seu lado. Sabia que era Dankmar, pois podia sentir sua presença. Era isso. Sua morte estava próxima. Ela não estava apaixonada por mim, mas tinha sentimentos por mim. Teria que ser o suficiente. Porque, quando seu corpo morresse, eu estaria lá para levar sua alma.

Mas a morte dela não aconteceu…

Em vez disso, a Morte quebrou as regras. Por quê? Era hora de Pagan morrer, de novo, mas, desta vez, não fui eu quem salvou sua alma. A Morte a tinha salvado. Afastei-me da cena do acidente, onde a Morte aninhava Pagan em segurança em seus braços. A alma dela estava fraca e tentando se libertar, mas Dankmar se recusou a permitir. Isso não estava certo. Era o seu trabalho. Ele não podia simplesmente escolher não levá-la.

Ele poderia? Seu olhar frio levantou-se para encontrar o meu. Ele sabia que eu estava perto. Um brilho possessivo me assustou. O que isso significava? A Morte sabia da minha reivindicação sobre a alma de Pagan? Ele estava me desafiando? Ele… ele queria… Pagan também? Balançando a cabeça, eu recuei. Não. Não poderia ser isso. Não estava certo. A Morte não se importava com as almas. Eu deveria falar com meu pai sobre isso, mas primeiro precisava voltar para a escola. Ela estaria no hospital em breve e eu precisava estar presente quando ela acordasse.

O som de uma ambulância foi a última coisa que ouvi antes de deixá-la nos braços da Morte.

— Ouça aqui, Leif Montgomery, não me importa quem você seja. Só me importo com o fato de que minha melhor amiga está deitada naquele quarto de hospital, com sorte de estar viva porque *você* a aborreceu. Não sei o que você fez, mas a culpa é sua. Ela. Gosta. De. Você. — Miranda ficou parada como uma pequena guerreira apontando o dedo para mim com um esboço de rosnado no rosto. Tudo o que ela disse estava correto. Eu não ia discutir ou mesmo me defender. Eu merecia mais. Desejei que Wyatt me acertasse um soco. Eu precisava sentir alguma coisa. Tudo dentro de mim estava entorpecido de medo. — Você não é digno dela. Está me ouvindo? *Não é digno.* Portanto, fique bem longe dela. Eu a amo. Ela é como minha irmã. Se algo tivesse acontecido com ela… —

Miranda parou e soluçou alto. Wyatt estava instantaneamente ao seu lado puxando-a para seus braços. Ele também não estava feliz comigo. Sua cara preocupada enquanto segurava Miranda me disse que ele daria uma palavra comigo quando a namorada não estivesse por perto.

— Eu sei que não a mereço — respondi em um sussurro. Eu a protegi desde o momento em que salvei sua alma da Morte, mas agora, quando ela mais precisava de mim, eu a tinha mandado embora de volta para os braços dele. O motivo dele não ter levado sua alma, eu não conseguia entender. Não fazia sentido.

— Por que a Kendra? Ela é tão, tão, aff — Miranda indagou.

Eu não poderia argumentar contra isso.

— Não foi nada como você pensa. Estou apaixonado pela Pagan. Kendra é uma praga chata que não aceita que eu mudei.

Miranda se endireitou e voltou toda sua atenção para mim.

— Você ama a Pagan? — ela perguntou com admiração na voz.

Eu tinha dito em voz alta. Bem, era hora de admitir.

— Sim, mas, por favor, não conte a ela que eu falei isso. No momento, ela não está pronta para ouvir.

Miranda balançou a cabeça, e um pequeno sorriso tocou seus lábios.

— Eu concordo. Ela não precisa ouvir isso agora, mas você vai precisar de muita sorte para voltar às boas graças dela. Considerando que você quase...

Miranda parou e seus olhos se encheram de lágrimas novamente. Não precisei perguntar o que ela estava pensando.

— Eu sei. Pretendo fazer tudo o que puder para conseguir o perdão dela.

A Morte estava cantando para ela? O que *diabos* era isso? Eu tinha vindo todos os dias. Trazido as comidas que ela tinha pedido. Passei um tempo com ela do jeito que sempre quis. Nós rimos. Tinha sido perfeito...

mas, à noite ele vinha até ela. Ele estava cantando para ela enquanto ela dormia. As letras que ele cantava não eram palavras que o senhor da Morte deveria dirigir a ninguém. Cerrando o punho para não entrar no quarto e exigir que ele saísse, ouvi as palavras.

> A vida em que caminho me deixa de mãos atadas,
> me faz tomar coisas que fogem da compreensão.
> Caminho neste mundo sombrio desconhecendo a verdade considerada,
> esquecendo o eu que eu conhecia,
> até você.
> A vida que em que caminho eternamente era tudo o que eu conhecia,
> nada mais nesta Terra me prendia,
> até você.
> Sinto a dor de cada coração que tomo.
> Sinto o desejo de substituir tudo o que agora odeio.
> A escuridão me mantém perto, mas a luz ainda atrai minha alma vazia.
> O abismo que eu tentava preencher com a dor
> não me controla mais, não me chama mais
> por você.

O pavor percorreu meu corpo quando o significado daquelas palavras foi absorvido. Dankmar era apegado a Pagan. Ele a tinha mantido viva porque sentia algo por ela. Ela era minha. Eu estava lá. Eu a tinha salvado e moldado. A Morte não ia tirá-la de mim. Eu não podia contar ao meu pai. Ele exigiria que eu apenas a levasse. Ela ainda não estava pronta para isso. Ainda não. Ela estava muito perto de sentir por mim algo mais profundo do que amizade. Eu precisava do amor dela. Eu tinha que ganhar o amor dela. Quando a tirei dessa vida, queria que ela fosse de boa vontade. Dankmar não ficaria no meu caminho. Ela não sabia quem ele era. Ela não podia. Se soubesse, ficaria apavorada. Pagan não se apaixonaria pela Morte. Eu a conhecia bem o suficiente para saber que ela nunca aceitaria quem ele realmente era.

4. UM GOSTINHO DO CÉU

Leif

— Se você não está pronta para começar minha dissertação, não estou com pressa — sussurrei no ouvido de Pagan enquanto ela se aninhava ao meu lado. Ela suspirou e se aproximou de mim enquanto nos sentávamos no sofá. Deveríamos estar assistindo a um filme, mas isso não estava acontecendo. Fiquei fazendo equações de Álgebra na minha cabeça a noite toda para manter a mente longe do calor do corpo de Pagan, do cheiro de madressilva em seu cabelo e do fato de sua mão estar logo acima da cintura da minha calça jeans. Sua outra mão estava firmemente presa na minha. Estar tão perto era como um gostinho do céu. O problema era que meu corpo queria dar uma passo maior. De preferência com Pagan de costas e eu pressionando-a. *Não!* Eu tinha que me controlar.

Meu celular tocou, o que fez Pagan gritar e se agarrar a mim.

— É meu celular, não o alarme de incêndio. Caramba, como você está nervosa hoje — provoquei, enfiando a mão no bolso e puxando o aparelho para fora. O número era privado, o que significava que era meu pai.

— Alô?

— A Morte está parada bem na porta da casa da menina. Vá embora — meu pai respondeu no meu ouvido. Eu não tinha sentido a presença da Morte. Por que meu pai estava me ligando para falar disso? Eu não estava pronto para ir. Pagan era minha.

— Estou na casa da Pagan agora... Eu sei disso, mas estou

ocupado... Ainda não terminamos.

— Não discuta comigo. Saia. Agora.

— Tudo bem, estou indo — concordei, sabendo que discutir com meu pai era inútil. Ele tinha seus motivos. Eu não ia muito longe quando saísse, afinal, a Morte tinha estado por perto quase todas as noites ao longo de semanas. Eu não entendia, mas lidei com isso. — Era meu pai. Ele precisa que eu vá com ele para deixar o carro da minha mãe no mecânico. Vão trabalhar nele logo pela manhã. Ele não pode ir dormir antes de deixar o carro lá e está exausto depois de trabalhar dois turnos seguidos na delegacia — menti.

Pagan franziu o cenho, sentando-se ereta.

— Ah, sim, vai lá. Podemos fazer a dissertação amanhã.

Algo a estava incomodando. Eu não queria deixá-la. Nunca.

— Você parece tensa. Eu odeio deixar você assim toda nervosa.

Ela forçou um sorriso que não chegou aos seus olhos.

— Vai ver só preciso dormir um pouco.

Inclinando-me, capturei sua boca com a minha e mordi de leve seu lábio inferior. Sua boca se abriu imediatamente e eu deslizei minha língua para dentro, precisando sentir seu sabor. Deixá-la nunca era fácil. Ter seu calor e gosto nos meus lábios me daria algo em que me apegar até a manhã seguinte.

Pagan se pressionou contra mim e seu seio roçou no meu peito. Todas as boas intenções que eu pudesse ter tido voaram pela janela quando um gemido faminto escapou de mim. Mudando de posição, coloquei Pagan de volta no sofá e me aproximei dela rapidamente, tomando seus doces lábios inchados mais uma vez.

Suas pernas se afastaram e eu relaxei entre elas, colocando meu corpo mais perto dela do que nunca. O calor que envelopava meus quadris disparou um arrepio de prazer pelo meu corpo. Eu precisava de mais.

Deslizei as mãos debaixo da sua blusa e cheguei à borda inferior do sutiã.

— Não. — A palavra me trouxe de volta à realidade. Lentamente, tirei minha mão da sua pele e me sentei, puxando Pagan comigo. Minha respiração saía entrecortada e meu coração estava disparado. Eu havia chegado tão perto de tocá-la. Minha ereção estava pressionando o zíper do jeans, o que causava uma pequena dor. Apenas o suficiente para me lembrar de que eu precisava dar o fora dali.

— Nossa! — consegui dizer. — Me desculpe, eu me empolguei. — Meus olhos caíram para a barra da sua blusa, que ainda estava amontoada no ponto onde minha mão havia deslizado por baixo. A pele lisa e firme da sua barriga zombava de mim, e eu estremeci quando minha ereção empurrou o metal pressionando contra ela.

— Não precisa se desculpar. Só precisávamos parar. Seu pai está esperando.

Meu pai. Droga. Eu tinha esquecido. Levantei e peguei minha jaqueta e meus livros.

— Você vai ficar bem até sua mãe chegar em casa?

Pagan sorriu para mim e acenou com a cabeça. Comecei a caminhar de volta para ela e provar mais um pouco dos seus lábios, mas não o fiz. Em vez disso, me forcei a sair pela porta.

Dank Walker podia estar ignorando Pagan na escola, mas a Morte ainda a observava. Eu não entendia suas ações, mas, enquanto ele continuasse a machucá-la e afastá-la, eu iria recuar e deixá-lo mandar Pagan correndo para os meus braços.

seguraram. Tinham sido minhas palavras que a acalmaram. Sempre eu. Dei tempo ao tempo. Eu queria que ela crescesse normalmente. O mundo em que eu vivia não era fácil. Garantir que ela tivesse amor e segurança enquanto crescia era minha prioridade número um. Meu pai me disse para levá-la mais cedo, mas esperei. Eu queria que ela me escolhesse. Que me quisesse... e ela quis, mas apenas por um momento.

Os olhos frios da Morte se ergueram e encontraram os meus. O desafio estava lá. Ele a queria, mas por acaso ele a conhecia de verdade? Ela era minha criação. Eu podia ler cada expressão em seu rosto. Entendia suas emoções. Aquele brilho iluminou seus olhos e eu sabia que ele não ficaria parado enquanto eu explicasse tudo para ela. Pagan estava em seus braços. Era onde ela queria estar, por enquanto, mas guardei todas as memórias que mudariam as coisas. Encontrar uma forma de chegar perto o suficiente dela para alimentar as memórias perdidas dos nossos tempos juntos seria difícil. Meu pai saberia como. Eu ia buscar a ajuda dele. Dankmar poderia ser a Morte, mas eu também tinha o meu poder.

Pagan veria que havia coisas que ela precisava saber antes de tomar sua decisão final. Eu não ia deixá-la me repelir. Não agora. Não aqui. Primeiro, ela se lembraria. Então, uma vez que ela entendesse o que eu era para ela, eu a deixaria escolher. No final, Pagan escolheria a mim. Ela precisaria. Não haveria outra escolha.

— Não venha aqui me pedir para te ajudar. Apenas pegue a menina. Foda-se Dankmar. Só porque ele ganhou a menina, não significa que pode salvá-la. Não é o que as regras dizem. A alma da menina é sua. Agora, pegue-a. — Meu pai, Guedê, o senhor vodu dos mortos, levantou-se carrancudo para mim enquanto uma mulher ruiva caía do seu colo no chão. Sem nem mesmo olhar para ela para ver se estava bem, meu pai agarrou seus dois cigarros, que eram sua marca registrada, e acendeu-os com um simples estalar de dedos. Com dificuldade, a mulher no chão puxou a parte de cima decotada do seu vestido de volta sobre os seios nus. Seus maneirismos nervosos chamaram minha atenção. Aquilo não era normal.

A maior parte do harém do meu pai teria continuado esparramado no chão com o seio nu à vista de qualquer pessoa que decidisse olhar em sua direção. Franzindo a testa, notei o rosa-claro em suas bochechas e puxei meu olhar de volta para o de meu pai.

— Ela está viva? — perguntei, incapaz de mascarar minha expressão horrorizada.

Meu pai riu e desviou o olhar escuro para a mulher enquanto dava uma longa tragada em seus cigarros.

— Eu fico entediado. A moça não deveria mexer com vodu. O rubor nas bochechas dela é bonito, hein? Eu gostei dela.

O completo desprezo pela vida da mulher não me surpreendeu. Meu pai nunca se preocupava muito com a vida. Ele gostava da morte dos seus seguidores. Levar uma alma ainda dentro do corpo não era algo que ele costumava fazer. A menos que permitissem, quando praticavam rituais de vodu que os abrissem para sua interferência.

— E o corpo dela? Você vai ficar com ele também?

Meu pai deu um sorriso malicioso para a mulher cujo coração batia rápido — eu podia ouvir do outro lado da sala.

— Eu gostei do corpo.

Mulher estúpida. Ela agora era o novo brinquedo de Guedê até que ele ficasse entediado. Balançando a cabeça, eu não conseguia pensar sobre isso no momento. Eu tinha minha própria coleção de problemas.

— Pai, por favor, diga-me o que fazer. Dankmar está com ela. Ela o quer. Como faço para ela se lembrar? Ele a protege e eu não consigo chegar perto dela.

Meu pai estendeu a mão e ajustou a cartola antes de tirar os cigarros da boca e se inclinar sobre a mesa.

— Dankmar é a Morte. Ele nem sempre pode ficar lá com a menina.

Dankmar tinha um trabalho a fazer. Se ele estava com Pagan durante o dia, então... restava a noite.

— Eu vou até ela enquanto ele estiver trabalhando — eu disse em voz alta. Meu pai acenou com a cabeça e colocou os cigarros de volta entre os lábios.

— Sim. Dê as memórias para ela enquanto ela dorme.

Nos sonhos. Perfeito.

6. ESTÁ QUASE NA HORA

Leif

Eu esperei, pronto para segurá-la se ela caísse. Minha Pagan sempre estava tramando algo perigoso. Eu passava mais tempo mantendo-a viva do que consolando-a. Era raro ela chorar; por outro lado, eu nunca permitia que algo a perturbasse por muito tempo. Se um franzido de preocupação aparecesse em seu rosto perfeito, eu encontraria uma maneira de fazê-la sorrir. Hoje, ela não estava exatamente me deixando muito feliz. Vê-la subir em uma árvore foi difícil. Cada pequeno deslize do seu pé me causou um momento de pânico.

Assim como eu temia, seu pé escorregou e, dessa vez, minha corajosa menina não conseguiu se segurar a tempo. Subi na árvore até ficar diretamente embaixo dela e estendi meus braços, pronto para mais uma vez impedi-la de cair daquela árvore. Seria a terceira vez naquele verão.

— Humpf, peguei você — assegurei a ela, enquanto olhava para seus olhos fechados com força. Suas pálpebras piscaram rapidamente antes de abrir e olhar para mim. A confusão neles quando me via era sempre tão dolorosa. Eu odiava que ela não conseguisse se lembrar de mim. Que ela não conseguisse se lembrar dos tempos que havíamos passado juntos.

— Hum — ela murmurou em confusão enquanto desviava seus olhos do meu rosto para a árvore.

— O que você estava fazendo lá em cima? Aquilo era alto demais — eu dizia a ela todas as vezes. Nunca adiantava, mas continuei tentando. Talvez um dia fizesse efeito.

— Hum, eu, ah... você me pegou? — ela perguntou com aquela voz surpresa familiar.

— Peguei. Por que mais você acha que não está estatelada no chão com alguns ossos quebrados? — Tentei não rir. Ela não gostava quando eu ria dela. Era como se ela soubesse que estava deixando de registrar alguma informação importante e odiava estar por fora.

Quando ela começou a se mexer nos meus braços, levantei-a com cuidado. Sua expressão curiosa acalmou um pouco da dor no meu peito. Ela se lembrava de mim... pelo menos seu coração, sim. Eu podia ver em seus olhos. Ela estava fazendo muito esforço na tentativa de recuperar essas memórias.

— De onde você veio? — Ela sempre me perguntava isso.

— Estava só passando. Vi você subindo muito alto e vim ver se precisava de ajuda.

— Eu te conheço? — Ela olhou meu rosto em busca de qualquer pista.

— Eu queria que sim, mas não conhece. Ainda não. Não é hora.

Engoli minhas palavras; não deveria ter dito isso. Precisava ter mais cuidado com as coisas que dizia a ela. Mesmo que Pagan me esquecesse no final do dia.

— O que você quer dizer? — Ela franziu as sobrancelhas.

— Pagan Moore, venha aqui se quiser dar uma espiada na minha casa na árvore antes de os meninos chegarem — seu amigo, Wyatt, a chamou da rua. Ele não seria capaz de me ver. Isso a confundiria. Era hora de eu ir embora, por enquanto.

Devagar, deixei a memória desvanecer enquanto observava a forma adormecida de Pagan se revirar. Desta vez, ela não esqueceria. Ela ainda não tinha me relacionado ao menino em seus sonhos, mas esse momento chegaria. Com uma última promessa, sussurrei em seu ouvido, antes de deixá-la sozinha para acordar:

— *Quase na hora.*

— A menina não vai escolher você em vez de Dankmar. Só a leve. — Meu pai estava no quintal da casa de Pagan.

— Ela está se lembrando, pai. Eu preciso de tempo. — Eu olhei de volta para sua janela e observei-a olhar para a árvore. As memórias mudariam as coisas. Elas tinham que mudar.

— As memórias não vão ser suficientes — ele falou lentamente ao redor dos cigarros pendurados em sua boca.

— Vão sim — rosnei, frustrado.

— A Morte se aproxima. Deixe-me. Vou falar com ele — papai exigiu. Os olhos negros como carvão encontraram os meus, e eu sabia que não havia como discutir com ele. Ele falaria com Dankmar. Não havia como impedi-lo, mas eu não estava indo longe demais. Eu queria ouvir o que Dankmar dissesse. Meu pai contaria a ele que a alma de Pagan era minha? Nesse caso, eu tinha que estar presente.

Recuando para a floresta, esperei. Eu soube o momento em que Dankmar sentiu a presença do meu pai. A ameaça saindo da sua forma era impossível de não notar. Pagan o beijou e fechei os olhos, incapaz de assistir.

Então ela voltou para dentro de casa e Dankmar se virou para encarar meu pai.

— O que você quer com a Pagan? — ele perguntou baixinho, mas o tom duro da sua voz era aterrorizante.

— Ela pertence a mim — meu pai respondeu sem recuar. O Dankmar que caminhava pelos corredores da escola era tão inofensivo que, às vezes, eu me esquecia do verdadeiro poder do senhor da Morte. Agora, vendo-o assim, eu me encolhi contra a árvore atrás de mim.

— Não. Ela não pertence — Dankmar rebateu, dando um passo em direção ao meu pai. Não fiquei surpreso quando meu pai deu um passo para trás. Os ventos pararam na presença da Morte e todas as coisas vivas fugiram da sua presença. Um rosnado sombrio encerrou o silêncio.

— A menina está marcada como uma restituição. A mãe dela fez o acordo. Ela sabe o preço.

— Pagan Moore é minha. Deixe-a em paz. Você nunca me desafiou

Pela primeira vez na minha existência, observei o corpo do meu pai ficar tenso de medo. Ele cruzara seus limites com a Morte.

— Mas a restituição deve ser feita.

— NÃO com a Pagan, não. Qualquer acordo que você tenha feito com a mãe dela é com a mãe dela. Pagan não teve nada a ver com isso.

— Você nunca a teria conhecido se eu não a tivesse curado. Você teria tomado a alma dela enquanto ela estava encolhida e morrendo ainda criança. Sou eu que não gosto de ver crianças morrendo. Você não se importa com quem você leva. Ela está viva por minha causa e destinada a mim. Eu a salvei para o meu filho. Ele cuidou dela todos esses anos.

Fiquei paralisado enquanto meu pai explicava a Dankmar exatamente o que tínhamos feito anos atrás. Sua expressão violenta me disse tudo que eu precisava saber. Ele não abriria mão dela. Ele poderia extinguir a mim e ao meu pai, mas não abriria mão de Pagan.

— Deixe-a ou negocie comigo.

— A menina vai ter que escolher ou eu vou levar meu pagamento por outras formas. Eu tenho o direito. — O tremor na voz do meu pai era inconfundível.

— Ótimo! Deixe ela escolher — rugiu Dankmar. Sem esperar para ver o que aconteceria, eu fugi.

7. ELE ESTAVA FADADO A TE AMAR

Leif

Tanto Dankmar quanto a transportadora sempre ficavam perto de Pagan. Graças a eles, ela estava com medo de mim. As chamas alaranjadas em seus olhos causadas pela minha proximidade eram o único conforto que eu recebia por estar em sua presença. Eu odiava saber que ela estava com medo de mim. *De mim!* A razão pela qual ela estava viva. Sua fonte de conforto.

Eu ia dar um jeito. Se tudo corresse como o planejado, ela sairia correndo por aquela porta a qualquer momento. Esperançosa, de coração partido e pronta para me ouvir.

Como se fosse uma deixa, a porta dos fundos se abriu e o rosto coberto de lágrimas de Pagan imediatamente me fez questionar minhas ações. Eu não gostava de vê-la chorar. Eu havia atiçado Dankmar. Um espírito vodu na forma de uma mulher muito atraente fez Pagan pensar que ela estava vendo algo que realmente não estava acontecendo.

— Vou te levar para casa — eu disse de longe. Eu precisava que ela viesse para mim.

Ela se virou e enrijeceu imediatamente quando seus olhos me encontraram na escuridão. Suas mãos se levantaram para enxugar as lágrimas que rolavam por seu rosto. Eu ansiava por enxugar as lágrimas por ela. Antes que eu pudesse me mexer e estragar minha estratégia perfeitamente elaborada para ficar sozinho com ela, ela deu um passo na minha direção.

— Claro, obrigada, Leif. Uma carona seria bom.

Não era o que eu esperava. Isso era muito fácil. Abri a porta do passageiro, dei um passo para trás e a deixei entrar. Ainda era muito, muito cedo para tocá-la. Primeiro, ela precisava ver que eu ainda era o mesmo garoto de quem ela gostara. Não o malvado Príncipe Vodu que ela deveria temer. Assim que ela entrou em segurança, fechei a porta do carro e dei uma última olhada para trás, na direção da porta por onde ela havia passado. Dankmar estava se aproximando. Eu não teria tempo de levá-la embora com segurança. Ele a encontraria. Seria necessário levá-la para minha casa muito mais cedo do que o esperado.

Eu sabia que transportar Pagan era perigoso; por outro lado, eu percebia que a Morte tinha protegido seu corpo e eu possuía sua alma. Poderia mesmo ser tão ruim assim? Ela estava dormindo desde que chegamos. Seu corpo não tinha sido capaz de lidar com a viagem tão bem quanto eu esperava. Mexendo-se em seu sono, ela murmurou "Dank" e então choramingou. Eu o odiava.

— Shhhh, está tudo bem, Pagan. Não se preocupe. Estou aqui com você — assegurei-lhe, afastando o cabelo do rosto.

— Leif? — ela sussurrou.

— Sim, estou aqui — respondi, amando o arrepio que percorreu seu corpo.

— Onde eu estou? Por que não consigo abrir os olhos? — Eu podia ouvir sua incerteza.

— Você está comigo por enquanto, aqui onde é o seu lugar. Onde sempre foi o seu lugar. Você é minha desde o momento em que eu a escolhi quando éramos só crianças. E quanto aos seus olhos, eles vão se abrir logo, logo. Seu corpo humano teve dificuldade em lidar com a viagem e, por isso, eu sinto muito.

— Não entendo. — Não, ela não entenderia. Ainda não. Havia muita coisa que eu precisava contar a ela, mas não enquanto ela estava assim.

— Apenas descanse. Você vai se sentir melhor em breve.

Ela lentamente voltou a dormir. Carregando-a para a minha cama, eu a deitei. Eu a deixaria dormir um pouco mais. Meu pai precisava saber que eu a tinha trazido. Seria melhor se eu explicasse as coisas a ele primeiro. Só para garantir caso a Morte descesse sobre nós mais cedo ou mais tarde.

Depois de falar com meu pai, corri de volta para ver como Pagan estava. Tê-la aqui, em Vilokan, na minha cama, causava uma sensação de completude. Finalmente. Embora eu não pudesse ficar com ela. Ainda não. Eu só precisava falar com ela. Fazê-la entender. Era impossível falar com ela de outra maneira. Dankmar estava sempre com ela ou aquela... aquela... irritante transportadora com quem eu não queria cruzar. A transportadora loira era assustadora.

— Você está acordada — eu disse, sorrindo quando entrei no quarto e encontrei Pagan acordada em pé no centro do cômodo.

— Onde estamos? — ela perguntou com a voz trêmula.

— Na minha casa. Gostou? — brinquei, na esperança de aliviar sua ansiedade.

— Por que estou aqui, Leif?

— Porque você me pertence. — Eu não deveria ter deixado escapar assim. Hora errada.

Ela deu um passo na minha direção e uma expressão feroz assumiu sua fronte preocupada.

— Eu não pertenço a você, Leif. Eu não sou uma posse. Sou uma pessoa. Por favor, me leve de volta para casa.

Oh, diabos, não. A fúria com a ideia de ela pertencer a Dankmar começou a se agitar dentro de mim.

— Para que *Dankmar* possa ficar com o que eu criei? Acho que não, Pagan. — Eu tinha que me acalmar. Ela teria medo de mim se eu perdesse a cabeça. Ela estava dizendo o que acreditava ser verdade. Eu precisava me controlar. — Veja, ele estava fadado a te amar. Você é diferente. Ele viu isso, mas o que ele não conseguiu explicar é que você é diferente porque eu fiz você assim. Não foi ele. Não foi o destino. Eu. Tudo sobre você foi moldado pela minha criação. Você foi escolhida para mim. — Estendendo minha mão, dei um passo em direção a ela. — Está tudo bem, confie em mim. Meu toque nunca faria mal a você.

Pagan sacudiu a cabeça freneticamente e começou a se afastar de mim. Por quê? Tudo que eu sempre tinha feito era protegê-la. Por que Pagan tinha que me ver como algo sombrio, algo maligno? Eu a amava.

— Eu já te machuquei alguma vez, Pagan? Ouça sua alma. Ela sabe qual é o lugar dela. O fogo que arde nos seus olhos agora é sua alma procurando por mim. — Eu cobri a distância entre nós — Me dê a sua mão.

— Por favor, Leif, me leve pra casa. Só quero ir pra casa — ela implorou.

Soltando minha mão de volta ao meu lado, desisti de tentar fazer com que ela me tocasse. Teríamos que trabalhar na questão da confiança.

— O que devo fazer para que você confie em mim? Você confia na Morte sem questionar. Na Morte, Pagan. Ele é a Morte. Como você pode confiar em uma criação destinada a tirar almas da Terra e não confiar em mim? Eu nunca deixei você se machucar. Eu nunca te deixei sozinha, mas ele aparece e você cai sem pensar sob o feitiço dele. O que ele fez para merecer você? Ele não salvou sua vida. Ele teria levado sua alma quando você era criança. Deixaria sua mãe sofrendo pela perda da filha e não pensaria duas vezes. É o que ele faz. — Eu estava desesperado para que ela entendesse.

— Mas por que você me salvou? — Sua pergunta não me surpreendeu. Ela nunca entendera o quanto incrivelmente especial era.

— Eu não sou seu sonho mais sombrio, Pagan. Posso andar nas sombras, mas vi uma vida que valia a pena ser salva e a escolhi. Meu pai escolheu. Ele sabia que você tinha sido feita para mim. Agora cabe a você aceitar que a vida que você sempre viveu está chegando ao fim. Já passou da hora. Você deveria morrer naquele dia na estrada e, quando a Morte viesse, eu deveria levar sua alma no lugar dele. Você teria confiado em mim. Sua alma e meu espírito são um, mas a morte quebrou as regras.

— A frustração no meu peito se tornou um rosnado e eu me afastei dela. Rosnar não era exatamente algo que aliviaria seu medo de mim. Parei na frente de uma das muitas velas que eu usava para iluminar o quarto. — Eu relaxei no meu julgamento. Eu sabia que a Morte estava com você, mas acreditava que ele estava fazendo o que faz quando tem um interesse especial por uma alma: preparando você. Em vez disso, o idiota estava se apaixonando.

Segurando minha mão sobre a chama, agarrei o calor e a energia que piscava contra minha palma e segurei com força antes de me virar para olhar para ela.

— Posso não controlar a Morte, mas controlo os mortos. Aqueles que fizeram escolhas menos inteligentes na Terra. Eles caminham entre as trevas sob o comando do meu pai. Sob o meu comando. Preciso de alguém para preencher a solidão. Você tem sido minha companheira por mais de quinze anos, mesmo sem perceber, mas suas memórias retornarão lentamente. Você verá que, na verdade, pertence a mim.

Pagan sacudiu a cabeça enquanto seus olhos se focavam na bola de fogo na minha palma.

— Você só vai simplesmente me tirar da Terra? E a minha mãe? Eu não posso deixá-la do nada.

Não. Não era isso que eu planejava fazer. Balançando a cabeça, apaguei a chama na palma da minha mão e voltei a ficar na frente dela.

— Vou levá-la de volta em breve. Ela nem vai perceber que você se foi. Eu só precisava de um lugar onde pudesse falar com você. Para explicar sem... — incapaz de controlar a repulsa sobre seu afeto por Dankmar, rosnei: — ... aquela transportadora estúpida ou Dankmar atrapalhando, parando as minhas tentativas.

Seu suspiro de alívio me disse que ela mais uma vez estava pensando o pior de mim.

— Você estava preocupada que eu fosse te manter prisioneira? Qual é, Pagan, você me conhece melhor do que isso. Quando eu não me certifiquei de que você estivesse feliz? Quando eu já te machuquei intencionalmente? Nunca. — Estendi a mão e peguei a dela na minha. Quando ela não a arrancou do meu alcance, puxei-a para o meu lado.

— Sobre o que você quer falar comigo? — ela perguntou, me estudando. Ela estava mais calma agora. A batida rápida do seu coração diminuiu.

— Assim é melhor. Seu coração desacelerou. Eu não gosto de ter você com medo. Eu nunca quero que você tenha medo de mim. — Apertei sua mão para reafirmar minha sinceridade. — Venha passear comigo, por favor. Podemos conversar enquanto eu te mostro.

Alcancei a parede de pedra que eu sabia que daria para a Bourbon Street.

Pagan saiu para a cálida noite de Nova Orleans. Seus olhos se arregalaram em choque enquanto ela examinava nossos arredores. Os bares, boates e lojas de vodu estavam todos iluminados contra a escuridão da noite. Crianças sapateando, homens bêbados e mulheres de *topless* chamavam sua atenção como se fosse uma peça encenada só para ela. A familiaridade da cena à nossa frente, de repente, parecia vulgar enquanto eu observava Pagan interpretar o comportamento obsceno em que eu tinha crescido. Eu não queria mais que ela assistisse. Estava tudo errado. Ela não pertencia a nada daquilo. Ela era muito boa, muito pura.

— Vamos, Pagan, você já viu demais. Vamos dar um passeio — falei, levando-a em direção à charrete que eu tinha chamado.

— Nós vamos andar de charrete? — ela perguntou, quando a peguei e a coloquei em segurança do lado de dentro. De repente, eu queria levá-la a algum lugar que fosse bom o suficiente para ela. Isso era muito sujo. Não daria certo.

— Vamos — respondi, sentando-me em frente a ela. — Então, o que você acha da Bourbon Street? É tudo o que você sempre imaginou?

Eu queria amenizar o comportamento impróprio que acabara de forçá-la a testemunhar.

— Essas lojas, as de vodu... — ela disse, sua voz sumindo ao final.

Rindo, olhei para uma das lojas ridículas montadas para tirar vantagem dos turistas com esperanças de encontrar um feitiço para o amor verdadeiro ou de emagrecer ou de vingança contra seus inimigos. Se eles soubessem...

— São propriedade de pessoas comuns que sugam o dinheiro

dos turistas. Nenhuma delas detém qualquer poder. Eu acho que se um verdadeiro espírito vodu aparecesse em suas portas, eles fechariam e sairiam da cidade. O verdadeiro vodu não está nessas ruas. Só pode ser encontrado nas profundezas do pântano, e por aqueles escolhidos pelos espíritos para incorporá-lo. Este é o Garden District — expliquei, aliviado por estar deixando a sujeira do meu mundo para trás. — É uma área mais agradável. As mansões do sul mais bem preservadas podem ser encontradas aqui.

— Sobre que você quer falar comigo, Leif? Por que estou aqui?

Ela estava pronta para falar agora. Ok. Poderíamos conversar. Inclinei-me, apoiando meus cotovelos nos joelhos, e sustentei seu olhar.

— Eu sei que você entende agora o que sua mãe fez. Você se lembra de todas as vezes que fui até você na sua vida. Você sabe que era eu naquele dia, na casa da velha rainha vodu que tirou a doença do seu corpo. Sim, fiz isso e exijo, meu pai exige, uma restituição. Todo *gris gris* vem com pagamento. Não do tipo monetário, como os donos de lojas de vodu exigem. O verdadeiro Vodu requer algo mais. Quanto mais difícil for o pedido, maior será o pagamento.

"Eu queria que você vivesse, Pagan. Eu a vigiei desde o momento em que você chegou a Nova Orleans. A enfermeira que cuidava de você era a neta da rainha vodu. Ela me trouxe para te ver no primeiro dia em que você chegou. Fiquei fascinado com a sua coragem. Meu pai estava procurando uma companheira e eu fui até ele com um pedido de ficar com você. Ele disse que deveríamos esperar. Que, se fosse para acontecer, o destino guiaria nossas mãos. Quando os médicos disseram que você não viveria outro dia, sua mãe foi falar com a enfermeira e levou você até a velha rainha vodu que me invocou.

"Uma vida não pode ser poupada de graça. O custo é uma vida por outra vida. Salvei sua vida e com isso comprei sua alma. É minha desde o dia em que você foi curada. Eu estive perto de você desde então."

A testa de Pagan ganhou um franzido.

— Nada disso faz sentido. Por que você se tornou humano? Por que me ignorou por anos? Por que você fingiu quando conviveu comigo? Por que me quer? Por que não pode simplesmente me deixar em paz?

Ela estava pronta para ouvir.

Então eu senti o poder dele. A vida ao nosso redor se acalmou. Nem mesmo os pássaros queriam permanecer na presença da Morte. Eu tinha chegado tão perto de fazê-la entender. Tão perto.

— Ele está aqui. Como diabos Dankmar chegou aqui tão rápido? — Sem olhar para trás, eu a deixei lá. Eu não estava pronto para enfrentá-lo. Ele ainda tinha todas as cartas: o amor dela e sua autoridade sobre a vida.

8. ELE É A MORTE. ENXERGUE-O COMO ELE É

Leif

— Se a menina não vier, vou ter que encontrar outra — meu pai me informou, anunciando sua aparição. Parado do lado de fora da escola onde eu vinha seguindo Pagan nos últimos três anos, observando-a e esperando por ela, pensei que tirá-la da sua alma gêmea seria meu maior obstáculo, mas seu companheiro tornara isso muito fácil.

— Pai — respondi em saudação. — Eu não quero outra. Você sabe disso. Eu quero a Pagan.

— A menina precisa de um empurrão na direção certa, hein?

— Pegar outra alma não vai afetá-la. Ela não vai perceber que você colocou uma alma no lugar. E eu não pretendo contar isso a ela. Isso me faria parecer um monstro ainda maior aos olhos dela do que já pareço.

Meu pai soltou uma risada sinistra.

— Não sei quem tomaria o lugar dela, hummm?

— O que isso significa? — perguntei, a preocupação com seu humor desviando meus pensamentos de Pagan e minha reentrada em seu mundo humano.

— Ah, pode deixar que vou fazer a menina tomar a decisão certa. Isso é tudo.

— O que você quer dizer? — indaguei, mas era tarde demais.

Ele tinha partido. Com um suspiro de frustração, coloquei a mochila no ombro e me dirigi para as portas dianteiras da escola. Pagan não tinha medo do garoto que ela sempre conhecera como colega de classe. Eu precisava lembrá-la de que ainda era aquele cara. Nada havia mudado.

— Falando em gostosura, aí vem o seu último namorado, pelo qual a gente poderia babar — sussurrou a melhor amiga de Pagan desde a infância, enquanto eu caminhava em direção a elas.

Assim que cheguei ao seu armário, ela o fechou de forma um pouco barulhenta antes de se virar para mim. Eu queria rir do seu olhar zangado, mas imaginei que isso não me daria nenhum ponto. Vê-la corajosa o suficiente para ficar com raiva de mim foi uma boa mudança. Qualquer coisa era melhor do que ela ter medo de mim.

— Leif — murmurou ela. Seus olhos dispararam para todos os lugares, menos diretamente para mim. Ela era tão lindinha.

— Pagan, que bom ver você também.

— De que você precisa? — perguntou ela, ríspida, e Miranda lhe deu uma cotovelada um pouco forte demais.

Cerrei o punho para não estender a mão e agarrar o braço da sua amiga e afastá-la de Pagan.

— Bem, eu estava pensando sobre as aulas particulares. Quero dizer, agora que estou de volta, preciso manter minha nota, e você sabe que não posso fazer isso sem a sua ajuda.

Os olhos de Pagan finalmente focaram em mim e se arregalaram. Não era isso que ela esperava que eu dissesse. Que bom.

— Ah, bom, quando você *foi embora*, eu preenchi sua vaga, mas tenho certeza de que existem outros tutores disponíveis, se você sentir que *realmente* precisa de um.

— Mas você foi tão útil. Duvido que alguém mais seja capaz de me ajudar do jeito que você ajudava. — A raiva brilhou em seus lindos olhos enquanto ela puxava a mochila pelo braço e me contornava.

— Foi mal, Leif. Eu não sei o que deu nela hoje — Miranda começou a balbuciar. Eu a estava afetando. A sensação era boa.

— Tudo bem. Eu fui mesmo embora sem dizer nada. Tenho certeza de que tenho muito o que fazer.

— Bem, ela meio que mudou, sabe? — Não queria ouvir Miranda me contar sobre Dank Walker e sua reivindicação sobre o que era meu. Dispensando-a com um aceno de cabeça, eu me afastei sem uma palavra em resposta.

As sirenes me tiraram do meu caminho rumo à sala de aula onde eu encontraria Pagan. Em vez disso, saí para as portas dos fundos e segui Pagan e Miranda, que haviam saído correndo em direção ao campo de futebol.

Quando me aproximei, vi o campo cheio de socorristas, estudantes, e os sons de gritos de pânico flutuaram no ar enquanto Miranda se jogava sobre o corpo sem vida de Wyatt. Ergui os olhos e encontrei Dankmar parado ali, despercebido pela multidão. A dor e a confusão em seu rosto me disseram tudo que eu precisava saber.

Era sobre Wyatt que meu pai tinha falado antes. Ele havia levado Wyatt no lugar de Pagan. Não qualquer alma, mas uma alma que ela lamentaria — uma alma que chamaria sua atenção.

Pagan ergueu os olhos e eu observei-a fitar a Morte. Ela finalmente entendera — não que era uma morte pela qual Dankmar estava esperando, mas ela teve uma amostra de em que consistia o propósito dele na existência. Ele não era o roqueiro que as garotas bajulavam.

— Ele é a Morte, enxergue-o por quem ele é — sussurrei antes de me virar e deixar a tragédia para trás.

9. PARECE QUE SOMOS SÓ VOCÊ E EU

Leif

— Uau, não era quem eu esperava ver aqui — eu disse em voz alta, a fim de anunciar minha presença. Pagan e Miranda não perceberam que não estavam sozinhas no cemitério, mas então Pagan parecia estar ocupada com uma Miranda muito bêbada. — E bebendo? — Mudei meu olhar da garrafa de vinho para Pagan.

— Ela queria vir aqui. Achei que ela precisava de coragem para enfrentar essa situação. — O toque irritado em sua voz, ao qual eu recentemente me acostumara, não estava ali. Ela parecia... cansada.

Ser a causa de toda a dor que eu a tinha visto vivenciar desde a morte de Wyatt pesava no meu peito. Agora, ela parecia estar em seu ponto de colapso.

— Posso compreender — respondi.

Miranda se aproximou e deu um tapinha no local ao lado dela no banco em frente ao túmulo de Wyatt.

— Venha se sentar aqui — ela me instruiu, arrastando as palavras.

Fui lá e me sentei.

— Aqui, é bom — Miranda empurrou a garrafa no meu peito. Sim, ela bebeu demais.

— Não seria uma má ideia.

Beber um pouco talvez me ajudasse a lidar com o que eu estava prestes a fazer. O tempo estava se esgotando. Se eu não chamasse a atenção de Pagan esta noite, era muito possível que meu pai levasse outra alma – alguém próximo a ela. Eu não poderia deixar isso acontecer.

— Desculpe, eu saí correndo hoje e deixei você lá. — Miranda se desculpou pelo episódio que eu havia presenciado no shopping antes. Pagan não respondeu. Em vez disso, alcançou Miranda e tirou a garrafa de vinho da minha mão.

— Pra você já deu por hoje, Miranda. Mais um pouco e você vai me odiar amanhã — Pagan disse enquanto colocava a rolha de volta na garrafa e a pousava no chão ao lado de seus pés.

— Estava preocupado com você, mas vi que Pagan te alcançou — respondi a Miranda.

— Sim, sim. Não sei o que eu faria sem ela — Miranda falou arrastado.

— Ela é muito especial — concordei, inclinando-me para a frente para encontrar o olhar de Pagan.

Miranda fez que sim. Em seguida, começou a colocar a cabeça no ombro de Pagan, mas errou e caiu para a frente. Abaixei-me e puxei-a de volta enquanto Pagan fazia a mesma coisa. Nossas mãos se roçaram e eu senti um choque quente com o breve contato. Implorar a ela não funcionaria, mas muitas vezes me perguntei se momentos como aquele poderiam influenciar um pouco seu voto. Talvez um pouco.

— Ok, acho que é hora de irmos para casa — Pagan anunciou, levantando-se. — Venha. Vamos te levar para a cama.

— Vou te ajudar a levá-la para o carro — ofereci.

Miranda caiu de joelhos e gargalhou.

— Tá, beleza, obrigada — murmurou Pagan.

Eu tinha mais do que certeza de que a vontade repentina de Pagan de aceitar minha ajuda tinha a ver com o fato de que Miranda estava mais do que um pouco fora de controle. Abaixei-me e a peguei por baixo dos braços. Assim que a coloquei de pé, envolvi meu braço em volta da sua cintura quando ela começou a cambalear e rir.

— Calma, garota — falei, tentando parecer encorajador. Era culpa do meu pai que ela estivesse assim, afinal.

— *Calmagarota.* — Miranda imitou uma risada. — Tchau, Wyatt, *teamodemais*! — ela gritou, enquanto eu a conduzia de volta pelo caminho em direção ao estacionamento.

As almas que vagavam pelo cemitério podiam me sentir. Elas

sabiam que eu as via assim, como sabiam que Pagan as via também. Eu me esquivei daquelas que estavam em nosso caminho.

— *Teamodemais* — Miranda começou a entoar. Assim que cheguei ao carro de Pagan, abri a porta do passageiro e coloquei Miranda no assento. Então, sem perguntar, abri a porta de trás e entrei. Eu não queria dar a Pagan a chance de dizer que eu não poderia ir. Esta noite, nós tínhamos que conversar. Ela precisava *saber*. Se eu não explicasse as coisas para ela, outra alma que ela amava seria perdida para sempre. Eu não poderia deixar isso acontecer.

Pagan abriu a porta traseira oposta e enfiou a cabeça, olhando para mim como se eu tivesse enlouquecido.

— O que você pensa que está fazendo? — ela falou entre dentes.

— Estou garantindo que vocês duas cheguem em casa com segurança — respondi com um sorriso que esperava ser reconfortante.

— Ah, não, você não está. Cai fora! — ela quase gritou.

— *Nãosejamalvada*, Pagan — Miranda interrompeu do banco da frente.

Eu podia ver a incerteza na expressão contrariada de Pagan. Por fim, ela revirou os olhos e fechou a porta. Então ela abriu a do lado do motorista e entrou. Ouvi um resmungo de "Tanto faz". Acho que ela tinha dito aquilo para que ficasse bem claro. Para garantir caso eu não tivesse percebido que ela tinha batido a porta.

— Fique acordada. Não vou conseguir fazer você entrar se estiver desmaiada. Não queremos que seu pai saia e te encontre assim — Pagan disse a Miranda em uma voz de gentil repreensão.

Miranda conseguiu despertar um pouco.

— Assim é melhor, mantenha os olhos abertos. — Pagan a encorajou a abrir as janelas. — O ar frio deve ajudar e, se você começar a se sentir mal, por favor, incline-se para fora da janela e vomite.

— De quem foi a ideia de deixá-la bêbada? — eu perguntei, já sabendo a resposta.

— *DaPaaagaaan*, ela é inteligente — Miranda respondeu com uma risadinha, quando era óbvio que Pagan estava me ignorando. — *Podemosfazerdenovo* a... amanhã? — Miranda perguntou.

— Não. Acredite em mim, a dor de cabeça que você vai ter de manhã vai concordar comigo. Foi uma vez e já chega — Pagan respondeu.

Quando Pagan estacionou na garagem de Miranda, eu rapidamente abri minha porta e comecei a tirar Miranda do carro. Ela não conseguiria subir aquela calçada e os degraus da frente sem a minha ajuda.

Assim que alcançamos a porta, a mãe de Miranda a abriu, e Pagan deu um passo à frente para lhe entregar a garrafa de vinho quase vazia.

— Ela queria ver o túmulo de Wyatt esta noite. Eu peguei porque senti que ela ia precisar. Eu sinto muito...

A mãe de Miranda ergueu a mão para impedir qualquer explicação adicional.

— Não, está tudo bem. Eu entendo. Isso não é pior do que os comprimidos que tenho dado a ela. — Eu podia ver a preocupação e o medo nos olhos da sua mãe e me lembrei mais uma vez de como era importante que Pagan soubesse. Tudo. Esta noite.

— Só vá para casa agora, Pagan. Sua mãe já me ligou procurando por você. O avião dela chegou há uma hora. Esta noite, eu cuido da Miranda — informou a mãe da amiga.

Depois que ela fechou a porta, me virei para olhar para Pagan.

— Parece que somos só você e eu.

10. EU MENTI PARA VOCÊ

Leif

— Não, sou só eu, e eu vou para casa — Pagan respondeu, virando-se, bufando de raiva e caminhando em direção ao seu carro. Eu, é claro, já havia pegado as chaves dela.

Observei quando ela começou a procurar freneticamente pelas chaves que havia deixado na ignição. Abrindo a porta do passageiro, deslizei rápido para dentro. As chaves balançaram no meu dedo enquanto eu sorria para ela.

Não rendeu nenhum ponto a meu favor, mas eu realmente não esperava. Ela estava me forçando a tomar essa atitude.

Pagan agarrou as chaves e ligou o carro.

— O que você pretende fazer, Leif? Entrar e visitar minha mãe? Humm... porque é mais do que provável que Gee chegará lá pouco depois de mim, e ela está louca para te dar uma surra.

Infelizmente, ela não voltaria para sua casa. Não essa noite. Nunca mais.

— Não, Pagan, só acho que eu e você precisamos conversar.

— Sobre o quê? Sobre o fato de que você quer levar a minha alma para algum mundo vodu do além ou sobre o fato de que me perseguiu a minha vida inteira, e então tomou as minhas memórias de mim? Já sei! Quer falar sobre as *mentiras* que contou para mim desde o início, me fazendo acreditar que você era um cara legal. Escolha uma das opções, pois eu já cheguei a uma conclusão sobre todas elas.

Ela não entendia. Dankmar tinha me feito parecer tão malvado. Ela o havia escolhido como sua luz. A Morte como sua luz? Não era uma loucura? Suspirando, esfreguei as palmas das mãos nos joelhos.

— Você está brava comigo. Já saquei. Até entendo. Sempre esperei que você fosse ficar assim, quando soubesse...

— Então por que insistir? — ela interrompeu.

— Porque eu te escolhi. Esse era o seu propósito. *É* o seu propósito. Não entende? Você teria morrido, Pagan. Batido as botas. Falecido. Teria ganhado outra vida e perdido a chance desta completamente. Porque você ia morrer. A morte não te amava na época. Ele a ceifaria como era a função dele. Não havia nada que alguém pudesse fazer para detê-lo, exceto a sua mãe. Ela poderia escolher te entregar para Guedê, e ela escolheu. Ela pode não ter percebido, mas, quando implorou para uma médica vodu salvar a sua vida com magia vodu, te entregou para o meu pai. Então você viveu. Não morreu. A Morte não te levou. Você cresceu com a sua mãe e forjou uma amizade com Miranda e Wyatt. Você VIVEU. Aqueles foram anos que você não teria tido se eu não a tivesse escolhido. Essa vida que você tem agora teria terminado naquela noite no Hospital Infantil de Nova Orleans. — *Guedê!* Por que ela não conseguia simplesmente entender isso? Qualquer outro humano entenderia aquilo pelo que ela estava tão cega.

Pagan começou a dirigir a caminho da sua casa. Estendi a mão e assumi o volante para detê-la.

— Não. Ainda não terminamos.

Ela tentou lutar comigo e forçar o carro a virar, mas não o fez; eu tinha controle total sobre a direção que seguiríamos. Não pararíamos até chegar à velha ponte East Gulf.

Então nós também não pararíamos necessariamente.

— Certo, tudo bem. Você me manteve viva. Consegui viver essa vida. Agradeço, mas agora eu preciso continuar com ela, e você não se importa. Diz que me quer e que precisa de mim, mas não poderia dar menos importância para o que eu desejo. É muito egoísmo da sua parte. Tudo o que importa é o que quer. Você não leva o que eu quero em consideração. Age como se eu fosse sua posse e devesse me sentir feliz por isso.

Ela era minha, mas eu era mais seu do que ela entendia. Eu

também pertencia a ela. Ela me possuía. Ela simplesmente não me queria. A percepção de que ela não estava mais controlando o carro começou a se assentar, e sua frequência cardíaca aumentou, assim como sua respiração. Eu estava mais uma vez deixando-a assustada. Droga, eu odiava isso.

— Tentei facilitar as coisas para você. Tentei fazer da transição algo que você aceitasse. Eu te protegi da verdade. Quis que tomasse a decisão porque desejava, não porque eu a tivesse forçado, mas ficamos sem tempo. Há algo de que você precisa saber. — Apontei para o acostamento logo antes da ponte. — Encosta.

O carro imediatamente estacionou no acostamento sem a ajuda de Pagan. Ela nunca tinha realmente me visto usar meus poderes. Eu sabia que era mais do que ela estava pronta para ver, mas não havia mais tempo.

— Do que preciso saber? — ela perguntou, batendo as palmas das mãos no volante, frustrada.

— Você não vai gostar. Não queria que soubesse, mas, quando você se recusou a aceitar que sua alma era a restituição pela vida que o meu pai lhe concedeu, ele decidiu que tomaria a restituição de outro lugar. — Eu precisava da sua atenção completa. Era hora de ela se concentrar no que eu tinha a dizer. — Pagan, olhe para mim.

Sua cabeça se virou e seus olhos brilharam com lágrimas não derramadas enquanto ela esperava que eu falasse.

— A morte de Wyatt foi só o começo. Guedê tomará mais, todo mundo que for próximo de você. Ele os levará um por vez até que você ceda e concorde em vir comigo, ou até que não haja mais ninguém para levar.

Balançando a cabeça, ela gritou:

— NÃO! VOCÊ está mentindo. Você é um mentiroso. Eu vi o Dank. Eu o vi ceifando a alma do Wyatt. Dank jamais tomaria uma alma para o seu pai. Ele jamais teria...

— Dank não sabia. Ele te contou antes de acontecer? Ele te preparou para a morte do seu amigo? Não. Ele não fez nada disso. Porque a morte do Wyatt não foi obra do destino. Meu pai usou o poder que tinha sobre a sua restituição não paga para matar o corpo que a alma do Wyatt habitava. Dank foi arrastado para lá para ceifar a alma do corpo porque é o trabalho dele. Ele ficou tão surpreso quanto você.

Ela sabia agora. Ela me odiaria?

— Mas... mas você disse que a minha morte e a do Wyatt seriam as tragédias do ano letivo. O que significa que a morte do Wyatt foi obra do destino.

— Eu menti para você. Queria que você ficasse com raiva do Dank. Eu podia sentir a sua dor e sabia que você estava se distanciando dele.

Observei uma série de emoções percorrerem seu rosto. Era muito mais do que qualquer mente humana poderia compreender, mas Pagan não era normal. Ela tinha visto almas a maior parte da sua vida, e estava apaixonada pela Morte. Nada sobre Pagan era normal. Ela seria forte o suficiente para lidar com tudo isso. Se ao menos eu tivesse sido capaz de fazê-la se apaixonar por mim primeiro... Eu tinha falhado com nós dois.

— Tudo bem. Eu vou com você.

Não esperei que ela pensasse mais nisso. Embora fosse sua escolha, eu a levaria. Estava decidido. Liguei o motor com um estalar de dedos e acelerei.

— Leif! Me ajuda! — Pagan gritou enquanto o carro corria para o meio da ponte. Com o toque do meu dedo, o volante deu um solavanco.

— Estou com você, Pagan — assegurei-lhe quando o carro quebrou o *guard rail* e saímos cambaleando sobre as águas do oceano abaixo de nós. Vilokan, o local da vida após a morte da religião vodu, estava localizada no fundo do mar. Eu não a transportaria desta vez. Era muito difícil para ela. Nós iríamos pelo caminho antigo. As águas escuras nos envolveram, e eu estendi a mão para forçar o corpo de Pagan a um sono profundo antes de puxá-la para mim e afundar nas profundezas abaixo. Logo estaríamos em casa.

11. MAL POSSO ESPERAR PARA PASSAR A ETERNIDADE COM VOCÊ

Leif

Eu não a consegui fazer sair do meu quarto. Ela se recusava a andar pelo castelo ou explorar o Vilokan comigo. Em vez disso, Pagan ficou encolhida no meu quarto, onde eu já não era mais bem-vindo sem um convite. Meu pai não tinha causado uma impressão muito boa nela com suas aventuras sexuais durante o jantar a que ela comparecera. Concordar em deixá-la falar com Wyatt foi a única coisa que pude pensar para fazê-la feliz.

Ao abrir a porta, Wyatt passou por mim como se eu não estivesse lá. Ele me odiava. Ele odiava quem eu era e o que eu representava. Uma vez, ele tinha sido meu amigo. Ao longo da minha vida, eu o tinha observado e desejado ter uma vida semelhante à dele. Ele era o amigo de Pagan que mais me intrigava, pois tinha a vida de um garoto normal.

Eu trouxe à Pagan comida que ela reconhecia. As refeições que meu pai gostava não eram algo que ela aceitaria facilmente. Seus apetites eram muito estranhos em todas as coisas. Coloquei a bandeja na mesa ao lado da cama e encontrei seu olhar.

— Ele não gosta muito de mim — eu disse, enquanto entregava a ela um prato.

— É, ele não gosta, mas quem o culparia? Você tirou a eternidade dele. E agora ele está preso aqui para sempre.

O ódio atado em suas palavras foi mais doloroso do que qualquer coisa que eu poderia ter imaginado.

— Eu não tomei a alma dele, Pagan. Foi o meu pai. Eu não tinha ideia de que ele faria isso. Guedê não dá satisfações a ninguém no nosso reino. Ele toma as decisões que bem entende e se lança a tudo o que é prazeroso e corrompe atividades agradáveis, transformando coisas que deveriam ser boas e satisfatórias em depravação. Nada do que eu digo pode detê-lo. Eu era uma criança quando ele me pediu para escolher uma alma. Eu não tinha ideia do que aquilo significava. Escolhi você. Na época, eu não sabia o que isso queria dizer. Você pode me odiar, mas, por favor, entenda que eu não sou o meu pai.

Pagan ficou quieta por um momento e comecei a preparar um prato de comida.

— Quem é a sua mãe?

Minha mãe não era alguém que eu realmente queria discutir. Nunca, mas, com Pagan, eu compartilharia tudo. Até as coisas dolorosas.

— Minha mãe é Erzulie. Ela é a razão para a minha pele ser clara e eu ter o cabelo loiro. Ela é a deusa vodu de muitas coisas, entre elas o amor... e a vingança. Ela tem muitos amantes e gosta das mesmas coisas que o meu pai. Eu a vejo às vezes, mas a maior parte do tempo eu vivo com ele. Ela nunca quis ter um filho, mas eu não sou o único. Ela tem vários, muitos deles vagando pela Terra. Ela não se abstém de levar humanos para sua... cama.

Pagan deu pequenas mordidas na carne de porco desfiada que eu havia trazido para ela, e eu suspirei de alívio. Ela precisava comer. Eu não gostava da ideia de Pagan morrendo de fome. Meu pai a tornaria imortal em breve. Mas, por enquanto, ela precisava de nutrição.

— Você também não fala igual ao seu pai. Ele tem um pouco de sotaque da Louisiana.

Finalmente, ela estava curiosa sobre mim.

— Passei a maior parte da vida atrás de você. Adotei o seu sotaque para poder me encaixar na sua vida. Não quis parecer um forasteiro para você.

— Então todos aqueles sonhos que eu tive eram reais? Aquelas coisas aconteceram mesmo? Há mais memórias que esqueci?

Essas eram apenas pequenas novidades da nossa vida juntos. Havia tantas coisas que eu queria que ela se lembrasse...

— Talvez mais algumas — respondi.

— Mais algumas? Isso é tudo?

Eu não queria esconder mais nada dela. Eu já tinha escondido muito. Coloquei meu prato na mesa e me levantei. Se eu ia dizer isso a ela, eu precisava ser capaz de andar de um lado para o outro. Me ajudava a pensar. Além do mais, tê-la empoleirada na minha cama tornava difícil me concentrar em qualquer outra coisa. Minha mente continuava voltando para aquele momento que passamos em seu sofá, antes de Dankmar consumir seu coração. Eu nunca estivera tão perto de ninguém.

— Estive com você muitas vezes durante a sua vida. Quando você estava triste ou sozinha, eu estava lá. Quando estava em perigo, eu estava lá. Era o que eu fazia. Meu pai disse que você era minha e que eu deveria te proteger. Foi o que fiz. Sinto muito por você não se lembrar. Não era algo que eu fazia de propósito, é só porque não tenho alma, e a sua alma não pode se lembrar de mim por muito tempo quando não estou perto.

— Por que você queria que eu me lembrasse dessas vezes? Das que você escolheu para eu sonhar?

Eu parei e me virei para olhar de frente para ela.

— Porque foram as vezes em que eu me apaixonei um pouco mais por você.

— Você não me ama, Leif. Se me amasse, jamais teria sido capaz de me prender contra a minha vontade.

— Eu te disse que não posso controlar o meu pai. Ele salvou a sua vida. Ele é o seu dono, Pagan.

— Ninguém é meu dono.

Ela não entendeu. Comecei a temer que ela nunca o fizesse.

— Não quero discutir com você. Não hoje. Vamos só comer, tudo bem?

Voltei ao meu prato e comemos em silêncio. Quando Pagan pousou seu prato, fiz o mesmo.

— Você está satisfeita? — perguntei, ao me levantar para recolher os pratos.

— Estou — ela murmurou.

Eu não poderia fazê-la me perdoar. Naquela noite, eu já tinha tido o máximo que eu conseguiria suportar. Virando-me, me dirigi para a porta a fim de deixá-la a sós mais uma vez. Pouco antes de chegar à porta, me virei e fiz uma última tentativa.

— O que posso fazer para te convencer de que eu te amo? Qualquer coisa, exceto te deixar ir embora; porque isso eu não posso. Faço qualquer outra coisa que você pedir. Quero que você aceite isso. A nós dois. Só me diga.

Ela olhou para mim sem dizer nada por alguns momentos. Então, finalmente, respondeu:

— Libere Wyatt para um transportador. Não o mantenha aqui.

Poderia ser essa a maneira de conquistar seu coração?

— Se eu conseguir convencer o meu pai a despachar Wyatt para um transportador, você acreditará que eu te amo e vai fazer as coisas darem certo entre nós?

— Vou, se você entregar a alma de Wyatt para um transportador e se eu vir isso acontecer. Assim que eu souber que deu certo e que a alma dele está onde deve estar, ficarei com você. Vou fazer o que estiver ao meu alcance para te fazer feliz. Para nos fazer felizes.

Poderíamos ser felizes. Eu faria isso acontecer. Não importa o que eu tivesse que fazer, eu faria isso acontecer.

— Temos um acordo. Descanse um pouco, Pagan. Amanhã é um novo dia, e eu mal posso esperar para começar a eternidade ao seu lado.

12. POSSO TIRAR VOCÊS DUAS DAQUI... VIVAS

Leif

Meu pai não seria fácil de convencer quanto a deixar a alma de Wyatt ir para Dankmar. Ele odiava o poder que Dankmar tinha sobre ele. No Vilokan, meu pai detinha o poder. No entanto, Dankmar detinha o poder sobre as almas do Criador, mas eu precisava do perdão de Pagan. Meu futuro tinha sido planejado com ela desde que eu era um menino. Eu não poderia deixar isso passar. Não queria ver seu ódio por mim crescer a cada dia.

— Com licença, mas preciso encontrar alguém e estou completamente perdida. Você conhece Rosella, cabelo ruivo... e espero que ainda viva? Pensei que talvez isso pudesse chamar atenção aqui, sabe?

Parando, me virei para encontrar uma garota pequena e atraente, que devia ter em torno da minha idade, vinda da entrada principal. A primeira coisa que notei, além do fato de que ela tinha olhos castanhos realmente grandes e cílios incrivelmente longos, foi o fato de que ela estava usando roupas. Roupas normais. Sua calça jeans estava gasta e desbotada, mas abraçava bem seus quadris estreitos. A camiseta preta que ela estava usando tinha "Não me faça ser uma Cajun[2] na sua bunda" escrito em letras brancas. Nada sobre aquela garota parecia Cajun ou da Louisiana. Sua pele pálida e cabelo cor de cobre gritavam "irlandesa".

— Ei, você está, tipo, vivo, também? — ela perguntou. — Porque você tem essa aparência... mas aqui é difícil a gente saber.

2 Povo estabelecido no estado da Luisiana, com uma cultura rica, música popular e culinária característica. (N.E.)

Levantei meus olhos da sua camiseta e encontrei seu olhar. O rosa em suas bochechas e a batida do seu coração me disseram que ela era, de fato, humana. O que meu pai estava pensando? Ele estava colecionando toda uma horda de humanos? Então, o questionamento de por que ele teria trazido outra humana tomou conta de mim. Oh, porra, não. Ela tinha a minha idade!

— Quem é você e como chegou aqui? — indaguei, estudando-a, em busca de qualquer sinal de mentira.

Sua postura se endireitou e a expressão abertamente curiosa que ela direcionava a mim se fechou. Ótimo, eu havia irritado outra mulher.

— Sou Sabine Monroe. Estou procurando minha irmã, Rosella Monroe. Ela é mais velha do que eu. O mesmo cabelo. — Ela fez uma pausa e apertou os lábios com firmeza.

Algo a estava incomodando e eu tinha certeza de que não era meu comportamento rude.

— Com sorte, ainda viva.

— Você está viva — afirmei.

Sabine balançou a cabeça lentamente como se precisasse encontrar alguém com um pouco mais de bom senso.

— Como você chegou aqui? Este é o local da *vida após a morte* vodu. Não é normal ver um humano vivo e respirando andando pelos corredores. Normalmente, são as almas daqueles que serviram a Guedê que entram no Vilokan.

Sabine colocou as mãos na cintura e suspirou. Notei que suas unhas estavam bem lixadas e cada ponta branca tinha uma flor de lis preta na extremidade.

— Sei bem onde estou. Obviamente, quem vive e respira pode entrar nas paredes do Vilokan se souber o que está fazendo. Acredite em mim, eu não quero estar aqui. Só preciso que alguém me diga onde posso encontrar minha irmã para que eu possa levá-la para casa. De volta à superfície, onde podemos continuar vivendo, respirando e ficando bem longe da porcaria do vodu da minha Mamé.

— Ok, espere. Sua irmã está aqui e você está procurando por ela. Ambas estão vivas? Você não é herdeira da rainha vodu nem uma bruxa, mas está aqui. Onde apenas aqueles que Guedê permite entrar podem caminhar.

Um pequeno arrepio a percorreu e ela balançou a cabeça.

— Não, eu não sou nenhuma dessas coisas. Minha Mamé, no entanto, precisa de uma boa lição sobre mexer com o lixo de vodu que se compra nas lojas da Bourbon Street. Eu disse a ela que com essas coisas não se brinca, mas ninguém escuta uma garota de dezoito anos. Então aqui estou eu.

A mulher ruiva que eu tinha visto com meu pai meses atrás. Certamente não era isso que essa garota estava procurando, mas quem mais? O cabelo ruivo era parecido. Poderia ser. Não prestei muita atenção na garota que estava com o meu pai. Estava preocupado com Dankmar tirando Pagan de mim. Essa garota não precisava conhecer meu pai. O gosto dele por mulheres poderia ser perturbador. A ideia de ele usar essa garota me enojava. Ela era muito jovem, muito inocente, muito... bonita. Para não mencionar que eu precisava fazer meu pai concordar em deixar a alma de Wyatt voltar para Dankmar.

— Escute, tenho alguns assuntos para resolver esta noite. Posso encontrar sua irmã, mas você está em um lugar perigoso. Guedê, ele é o...

— Senhor vodu dos mortos. Sim, eu sei. Minha mãe explicou tudo isso antes de me mandar para a velha bruxa vodu, que, por sua vez, me mandou para cá.

— Certo. Tá, bem, ele não é exatamente um cara legal e compreensivo. Se você pudesse me dar um dia para resolver algumas coisas e me deixar encontrar sua irmã, vou trazê-la para você, então vou tirar vocês duas daqui.

Sabine ergueu uma sobrancelha.

— Sim, você? E como você vai fazer isso? Com sua boa aparência? Porque Deus sabe que você não é um espírito vodu. Você parece tão humano quanto eu.

Tive que reprimir uma risada, o que foi surpreendente. Eu não estava com muita vontade de rir antes.

— Escute, Sabine. Posso prometer que tenho meus contatos. Apenas faça o que eu digo e espere por mim. Sou o único que tem uma chance de tirar vocês duas daqui... *vivas*.

13. DEIXE-A IR

Leif

Bati uma vez e abri a porta.

— Está na hora — anunciei, a caminho do quarto. Pagan teve a chance de dizer adeus a Wyatt. Um transportador foi alertado sobre o retorno dele. Tudo foi colocado no lugar. Em breve, eu teria a eternidade que sempre imaginei com Pagan.

Ela colocou o vestido preto curto que meu pai havia fornecido para ela usar. Era sua maneira de mostrar a Dankmar a quem Pagan agora pertencia. Eu sabia que ela odiava a transparência do vestido, mas eu já tinha conseguido fazer meu pai concordar com tanto, que eu não estava disposto a discutir com ele sobre este detalhe.

— Vamos — respondeu ela, indo até a porta.

Grato pelo fato de que ela não iria resistir, estendi meu braço para acompanhá-la, mas ela recuou e balançou a cabeça:

— Não, ainda não acabou. Você entrega Wyatt em segurança nas mãos do transportador e o tira daqui, e então eu cumpro a minha parte do acordo.

Ela era teimosa, mas eu não ia discutir. Em vez disso, balancei a cabeça.

— Vá na frente — disse ela, uma vez que estávamos no corredor.

— Você sabe que é provável que Dankmar estará aqui, Pagan.

— Imaginei que seria o caso.

— Você compreende as consequências se for com ele.

— Compreendo, Leif. Sei que você matará todo mundo que eu amo e sugará a alma deles para viver na fornicação por toda a eternidade. Já entendi.

Eu a amava tanto, mas, às vezes, ela conseguia me deixar com tanta raiva.

— Pagan, não se trata de mim. Já te disse que é coisa do meu pai, é assim que ele age. Eu não tenho controle sobre ele. Você não faz ideia do quanto precisei bajulá-lo para conseguir devolver a alma de Wyatt. E, para ser sincero, acho que a única razão para ele ter concordado é porque ele vê o valor do entretenimento de você se recusando a ir com Dankmar, e que ele é que vai controlar você.

Percebi a porta do outro lado do corredor. Ela se abriu ligeiramente e dois grandes olhos castanhos espiaram. A expressão de olhos arregalados de Sabine me disse que ela tinha ouvido um pouco da minha discussão com Pagan. Eu tinha que me concentrar no problema que tinha em mãos. Lidaria com Sabine e sua irmã mais tarde.

— Agora, entenda, por favor, toda dor que você sofreu não foi porque eu quis. Nunca tive a intenção de te machucar, sempre pensei que você seria minha, que a sua alma iria me querer. Caramba, quando chego perto de você, parece que seus olhos pegam fogo. Era para você me querer, mas, em vez disso, você o quer, mas você não pode ter o Dankmar, Pagan. Nunca foi para acontecer.

— Tudo bem. — Foi sua resposta simples.

— Tudo bem?

— Você me ouviu, Leif. Eu disse que tudo bem. Agora vamos.

Bem, isso foi mais fácil do que eu esperava. Com um último olhar na direção intrometida de Sabine, me virei e segui até a entrada da frente.

— Pare — rosnei para um dos espíritos vodu enquanto eles olhavam boquiabertos para o corpo de Pagan com o vestido que meu pai a fizera usar.

— Nossa, isso é algo que merece ser visto, não? — meu pai gritou enquanto entrava no grande saguão.

— Não a deixe desconfortável, pai — implorei.

— Quem, eu? — ele perguntou com uma voz que denotava seu divertimento. Observei quando ele ergueu a mão e colocou dois cigarros na boca e, em seguida, voltou sua atenção para as atividades que estavam acontecendo lá fora.

Procurei entre os espectadores por qualquer visão da irmã de Sabine. Se eu pudesse encontrá-la agora, então, assim que isso tivesse chegado ao fim, eu poderia ajudar Sabine e sua irmã a escapar. Logo, seria hora de aproveitar minha vida para sempre com Pagan. Isto é, *se* todos nós sobrevivêssemos à fúria da Morte.

— Por favor, faça-as parar — sussurrou Pagan, desesperada.

Confuso, olhei para ela. Em seguida, acompanhei seu olhar para ver duas mulheres do harém do meu pai passando os dedos na virilha de Wyatt. A maioria dos adolescentes gostaria disso, mas eu podia ver que Wyatt estava desconfortável e Pagan, muito chateada, mas Wyatt descobriu que reclamar só encorajaria meu pai.

— Se eu fizer uma cena, meu pai só vai piorar as coisas. Se você não quer ver uma das duas montarem no Wyatt bem aqui, então não diga nada. Wyatt sabe, por isso ele está tão parado.

O silêncio caiu sobre as ruas selvagens, e as pessoas começaram a fugir. Todas as risadas e bebedeiras terminaram quando as almas sentiram a presença da Morte chegando perto delas.

— Ah, a Morte se aproxima. Os caídos devem ter corrido para se esconder — meu pai falou lentamente e puxou os dois cigarros da boca para exalar pequenos anéis de fumaça, e então os colocou de volta.

— O que ele quer dizer? — perguntou Pagan.

— Dank está perto. As almas das pessoas nas ruas o sentiram e fugiram. Ao contrário de você, os humanos não se agarram à Morte quando ela está em sua verdadeira forma. É claro, eles gostam do cantor Dank Walker, mas quando ele está na pele da Morte, elas se escondem.

Meu pai se virou para Wyatt e curvou o dedo uma vez. As garotas que o seguravam o libertaram quando ele deu um passo à frente.

Suspiros desviaram minha atenção para as ruas diante de mim. Dankmar tinha vindo e ele não tinha vindo sozinho. Os olhos da Morte procuraram até encontrar Pagan, que eu aninhei ao meu lado. Ela era minha.

— Ora, ora, ora, Dankmar e sua trupe. A que devo essa honra? — meu pai disse em seu tom alegre de costume.

— Você sabe por que estou aqui, Guedê — respondeu Dankmar,

sem tirar o olhar de Pagan. O brilho possessivo em seus olhos fez minha pele arrepiar de medo. Eu seria capaz de enfrentá-lo? Meu pai esperaria que eu lidasse com Dankmar sozinho?

— Tsc, tsc, tsc. Não sei o que você quer dizer. Você disse para deixar a dama escolher — meu pai anunciou, acenando com a mão em nossa direção. — Ela escolheu.

A transportadora loira veio em nossa direção, mas Dankmar a parou. Ele não planejava levá-la? Seria realmente tão fácil?

— Não. Você a forçou a escolher. Isso não fazia parte do acordo — rugiu Dankmar. Pagan estremeceu nos meus braços e se afastou de mim.

— Aqui está a alma pela qual você veio. — Meu pai empurrou Wyatt em direção à Morte e, instantaneamente, Wyatt estava na proteção dos braços de um transportador. Então ele se foi. Pagan havia realizado seu desejo, sua única demanda. Tinha sido cumprido. A Morte precisava ir embora.

— Agora, isso é tudo ou você gostaria de ceifá-la você mesmo? — Meu pai se voltou para nós: — Venha aqui, Pagan — persuadiu ele.

Ela estava com medo do meu pai. Eu gentilmente apertei seu braço para tranquilizá-la, então a empurrei para a frente. Ela tinha que ir até ele. Se o recusasse, tudo poderia ficar feio.

— Ceife-a, Dankmar. — Meu pai gargalhou enquanto agarrava Pagan e a empurrava para a Morte.

Dei um passo em sua direção. O que meu pai estava pensando? Dankmar poderia estender a mão e tomá-la.

— Eu quero...

— Ainda não te perguntei nada, Pagan. Guarde esse pensamento um pouco mais — Dankmar instruiu, levantando o olhar de Pagan para focar no meu pai. — Você mexeu com o cara errado dessa vez, Guedê. Você gosta da sua diversão, mas eu nunca fui do tipo que diverte.

Os transportadores começaram a se afastar de Dankmar. Todos eles estavam se preparando para sair? Isso finalmente tinha chegado ao fim? Então os guerreiros começaram a descer. Eu nunca tinha visto um dos guerreiros do Criador antes. Eu já tinha ouvido falar deles. Temia-os, mas nunca os tinha visto. As espadas enormes penduradas em seus flancos simplesmente varreriam nosso mundo com um único golpe. O livre arbítrio de um humano era o único poder que tínhamos. Os guerreiros, entretanto, recebiam seu poder do verdadeiro Criador. Não tínhamos chance contra eles.

— Você trouxe os guerreiros por causa de uma garota? — meu pai perguntou, surpreso.

— Trouxe — Dankmar respondeu, então deu um passo adiante, estendendo a mão para Pagan.

— Não posso. — Ela soluçou.

— Confie em mim — respondeu ele. Esperei sabendo que era isso. Se ela fosse até ele, eu a deixaria ir. Eu desistiria. Se Pagan o escolhesse mais uma vez, eu a deixaria ir.

Como se estivesse em câmera lenta, Pagan se adiantou e colocou sua mão na dele. Dankmar a puxou contra seu lado com força. O alívio no rosto dele se refletiu em seus olhos enquanto ela o fitava. Ele estava onde ela queria estar. Eu não conseguia mais lutar contra isso. Tudo o que eu estava fazendo era conseguir que ela me odiasse ainda mais a cada dia que passava. Eu amara Pagan durante a maior parte da minha vida, mas não podia forçá-la a me amar. Enfim eu entendia.

— Péssima escolha, garotinha — meu pai sibilou. Ele não esperava que ela fosse. No fundo, eu sabia que ela iria.

— Não, Guedê. Foi você quem fez uma péssima escolha. Não se toma o que é meu — Dankmar o desafiou. Então ele fez uma pausa e se abaixou para sussurrar no ouvido de Pagan antes de entregá-la à transportadora loira que havia protegido Pagan tão ferozmente antes.

— Você tomou uma alma que era jovem demais para se defender. Uma alma que pertencia ao Criador. Você alterou o destino e decidiu brincar com um mundo que não é seu. Então, resolveu sair do seu reino e tomar outra alma conforme suas próprias regras. Agora eu te dou uma escolha, Guedê. Fechamos esse portal hoje, assim como os da África e do Haiti, onde os guerreiros agora estão montando guarda, e os selamos por toda a eternidade. O poder vodu terminará aqui e agora. Você ultrapassou um limite.

O golpe tinha sido desferido. Dankmar detinha o poder.

— Ou você liberta a alma da Pagan e a libera de qualquer restituição. Permaneça longe dela e da família por toda a eternidade e fique como está, mas eu te aviso, se eu vir o seu filho, você ou qualquer um dos seus espíritos remotamente perto da Pagan, vou acabar com essa religião. Não haverá uma segunda chance. A escolha é sua.

Meu pai se virou e olhou para mim. Eu podia sentir seus olhos fixos em mim enquanto eu estudava Pagan. Era isso. Eu teria que deixá-la ir agora. Era a única maneira. Ela nunca tinha sido feita para ser minha. Mesmo que, no meu coração, ela sempre fosse.

— Deixe-a ir — respondi. Então desviei o olhar e me virei para ir embora. De volta ao castelo, onde meu futuro nunca seria completo. Eu tinha perdido a única chave para a minha felicidade.

14. EU NÃO SOU NADA COMO MEU PAI

Leif

Uma mistura de emoções agitou-se violentamente dentro de mim. Eu não conseguia decidir se desespero, raiva, perda ou ódio era o mais poderoso. Como eu tinha falhado com tanta facilidade? Por que não havia tomado uma atitude antes e ganhado seu coração?

— Hum, ei, você... uh, Leif, eu acho — uma voz familiar invadiu minha turbulência interna, e virei a cabeça para olhar para a intrusa quando encontrei a expressão surpresa de Sabine. Tinha me esquecido dela. Merda. Eu não estava com vontade de ajudar ninguém agora. Alguém precisava me ajudar. — Minha nossa. Hum, suponho que as coisas não correram tão bem com a menina — ela disse suavemente.

— Óbvio, não é? — vociferei.

Seus grandes olhos castanhos se arregalaram.

— Sinto muito.

A sinceridade em sua voz foi minha ruína. Todas as emoções dentro de mim recuaram para deixar a tristeza assumir o papel principal enquanto as lágrimas enchiam meus olhos.

— Ela não me escolheu — consegui dizer sem engasgar.

— Oh. Uau. Bem, uh, talvez isso seja o... melhor?

Eu queria rugir que não era o melhor. Nunca seria o melhor. Como o fato de eu ter perdido tudo que era importante para mim poderia ser o melhor? Caminhando em direção ao meu quarto sem responder, parei e toquei na maçaneta fria. Parei de repente. O cheiro dela estaria lá. As roupas dela. Meu travesseiro teria o cheiro dela. Eu a veria lá na minha cama. Eu não era tão forte ainda.

Em vez disso, me virei e voltei para o quarto em que estava dormindo desde que Pagan chegara aqui.

Sabine ainda estava no corredor me olhando ansiosamente. Eu sabia que ela queria minha ajuda, mas, naquele momento, eu não conseguia me importar.

— Você poderia entrar e falar sobre isso. Se fosse ajudar. — Sabine fez uma pausa e torceu as mãos. — Falar sobre as coisas sempre me ajuda, e eu sou uma ouvinte muito boa.

Droga, ela era legal. Eu não precisava estar por perto agora. Eu não estava nada legal no momento.

— Não, obrigado. Preciso ficar sozinho — respondi o mais educadamente que pude, antes de abrir a porta do meu quarto temporário.

— Se você entrar nesse quarto, vou sozinha encontrar minha irmã. Lamento que você esteja chateado, mas não vou ficar aqui parada esperando por você. Preciso encontrar Rosella. Ela já está desaparecida há muito tempo. Estou com pressa.

Dizer a Sabine para ir em frente e tentar era tão tentador. A única coisa que me impedia de me afastar dela era o fato de que ela nunca sairia daqui viva. Eu era a única chance que ela tinha. Aqueles seus malditos olhos grandes e inocentes estavam mexendo com meu lado humano. A parte de mim que sentia compaixão e remorso, a parte que tinha sido moldada pelo meu amor por Pagan.

— Tudo bem, eu vou te ajudar, mas não estou com humor para problemas. Me escute. Faça o que eu digo e nos daremos muito bem. Entendido?

— Sim, capitão, entendi. — Ela falava com um sotaque sulista sexy em que eu não tinha prestado muita atenção antes.

Fiz que sim. Meus pensamentos voltaram para Pagan. Ela estava feliz agora? O que ela estava fazendo? Ela sentiria minha falta?

Eu precisava vê-la uma última vez. Poderia ir ver como ela estava ou Dankmar cumpriria sua ameaça? Me forçando a colocar os pensamentos sobre Pagan de lado, me concentrei na garota que estava diante de mim. Aquela que precisava de mim.

— Vou encontrar sua irmã agora. Você fica aqui no seu quarto.

Sabine começou a balançar a cabeça.

— Essa parte não está em discussão. Vou trazer sua irmã de volta, mas, se você for comigo, vai bagunçar tudo. Guedê não vai simplesmente deixar você ir embora daqui se ele te vir.

Ela engoliu em seco, nervosa.

— Você quer dizer seu pai?

Então, ela tinha ouvido muito mais da minha conversa e da conversa de Pagan do que eu tinha percebido.

— Sim, meu pai.

Finalmente, ela voltou para o quarto e começou a fechar a porta. Observei-a me estudar por um momento.

— Mas você não fez a garota ficar com você. Ela queria ir embora e você a deixou.

— Eu não sou meu pai. Não sou nada parecido com meu pai. Esse é o problema.

"MAIS PERTO", DE DANK WALKER

A luz do dia desaparece enquanto
te observo à distância.
A escuridão reivindica o céu,
e eu queria que você pudesse saber.
Era para estarmos distantes,
mas algo me aproxima.
Era para estarmos muito distantes,
mas a gravidade nos une.
Mais perto que a sua pele, a revolta profunda me compele,
você tem todo o controle de mim, e eu não posso atingir o
ápice do meu eu. Estou sob seu domínio.
Pergunto como chegamos aqui, pergunto como chegamos
aqui ao lugar que devemos ir.
Oh-oh-oh-oh, yeah.
O lugar que devemos ir.
Oh-oh-oh-oh.
Oh-oh-oh-oh, yeah.
Almas não foram feitas para algo assim. Nossos mundos
jamais deveriam ter se encontrado.
É melhor você partir enquanto tem algo para deixar para
trás.
Era para estarmos distantes, mas algo me aproxima.
Era para estarmos muito distantes, mas a gravidade nos
une.
Mais perto que a sua pele, a revolta profunda me compele,
você tem todo o controle de mim, e eu não posso atingir o
ápice do meu eu. Estou sob seu domínio.
Pergunto como chegamos aqui.
Pergunto como chegamos aqui ao lugar que devemos ir.
Era para estarmos distantes, mas algo me aproxima.

Editora Charme

Entre em nosso site e viaje no nosso mundo literário.
Lá você vai encontrar todos os nossos
títulos, autores, lançamentos e novidades.
Acesse www.editoracharme.com.br

Você pode adquirir os nossos livros na loja virtual:
loja.editoracharme.com.br

Além do site, você pode nos encontrar em nossas redes sociais.

https://www.facebook.com/editoracharme

https://twitter.com/editoracharme

http://instagram.com/editoracharme